ÉDITO

Cahier d'activités

Élodie Heu-Boulhat
Julie Mainguet
Eugénie Mottironi
Serguëi Opatski
Marion Perrard

SOMMAIRE

Références Iconographiques

couverture Sigrid Olsson/PhotoAlto/Photononstop **6 a** SPL/BSIP - **6 b** Fuse/Corbis/Gettyimages - **6 c** Elva Etienne/Moment/Gettyimages - **7 d** Westend61/Gettyimages - **7 e** Andrey_Popov/Shutterstock - **7 f** Tom Merton/Caiaimages/Photononstop - **10** Twin Design/Shutterstock - **11** Alexandre Gelebart/Réa - **12** SIphotography/iStock/Gettyimages - **20** Bojan89/Istock/Gettyimages - **22 ad** Stephane Mahe/Reuters - **22 ag** IBO/Sipa - **22 am** Louis Monier/Gamma-Rapho/Gettyimages - **22 b** Christine Plenus/The New York Times-Redux-Réa - **22 cd** Jean-Paul Pelissier/Reuters - **22 cg** Pascal Le Secretain/Getty Images Europe/Gettyimages/Afp - **22 dg** Marc Piasecki/WireImage/Gettyimages - **22 dg** Jalal Morchidi/Anadolu Agency/Afp - **24 a** kzenon/123rf - **24 b** goodluz-Fotolia.com - **24 c** Shine-a-light/Alamy - **25 d, e** Eric Audras/PhotoAlto/Photononstop - **25 f** alotofpeople-Fotolia.com - **25 g** Cohome - **30** Nicolas Tavernier/Réa - **31** AnnaFrajtova/Istock - **32** pict rider-Fotolia.com - **34 a** Dmitriy Golbay-stock.adobe.com - **34 b** krungchingpixs-Fotolia.com - **34 c** Nikolay Okhitin-Fotolia.com - **34 d** DenisProduction-Fotolia.com - **34 e** thelightwriter/123rf - **34 f** DenisProduction.com-Fotolia.com - **34 g** Joel Petit-Fotolia.com - **34 h** ©andersphoto-stock.adobe.com - **37 a** Marisa Lia-Fotolia.com - **37 b** lypnyk2/Thinkstock - **37 c** Hemera Technologies/Thinkstock - **37 d** Ruslan Kudrin/Fotolia.com - **37 e** Elisanth/Fotolia.com - **37 f** Yutthana/Fotolia.com - **37 g** dimakp/Fotolia.com - **37 h** shock/Fotolia.com - **40** Westend61/Gettyimages - **42** Rémi MalinGrëy-Iconovox - **46** Les Franglaises - **50** illustrez-vous-Fotolia.com - **54 a** Oliver Hardt/Gettyimages - **54 b** Ibane Noor/Réa - **54 c** Cultura/hemis.fr - **54 d** Lisa Wahman/Panther Media - **54 e** Reed Kaestner/Corbis/Photononstop - **54 f** Jean-Baptiste Gurliat/Paris City Hall Press Office/Afp - **56 bd** byrdyak/123rf - **56 bg** Mike-Fotolia.com - **56 bm** Александр Ермолаев/123rf - **56 md** Dmitry-Fotolia.com - **56 mm** NoraDoa-Fotolia.com - **58 a** *Femme Actuelle*, n° 1723 du 2 au 8 octobre2017, www.prismamedia.com - **58 b** SNIC (Société Normande d'information et communication), Paris-Normandie/Presse Havraise - **58 c** *Lire*, n° 453, mars 2017 - **58 d** *L'Œil*, septembre 2017, www.LejournaldesArts.fr - **58 e** *Le Figaro*, 16/01/2018 - **58 f** L'Equipe, 12/01/2018 - **58 g** *Courrier International*, 27/07/2017 - **58 h** ©Gavin Bond/GQ France - **60** Lev Dolgachov/Syda Productions/www.agefotostock.com - **62 g** P666-Fotolia.com - **62 hd** Eric Pelaez/Stone/Gettyimages - **63** Fotolia.com - **69** mipan-Fotolia.com - **70** Mark Williamson/Photolibrary/Gettyimages - **71** TAlex-Fotolia.com - **74 a** Anton Starikov/123rf - **74 b** nys-Fotolia.com - **74 c** vadarshop-Fotolia.com - **74 d** kchung/123rf - **74 e** Kunertus/Shutterstock - **74 hg** Vladimir Melnikov-Fotolia.com - **75 hg** windsurfer62/123rf - **75 md** Alain Le Bot/Photononstop - **80** Nous and Co, www.nousandco.com - **82** Brouck-Iconovox - **90** Bruno De Hogues/Stockbyte Unreleased/Gettyimages - **92** Lydie Lecarpentier/Réa - **94 a** Robert Niedring/Mito/Photononstop - **94 b** kosmos111/iStock/Gettyimages - **94 c** Stanley Fellerman/Corbis/Photononstop - **94 d** Michel Gaillard/Réa - **94 e** Radius Images/Photononstop - **94 f** Hero Images/Fancy/Photononstop - **100** Hill Street Studios/Blend Images/Photononstop - **102 bd** *Quatre cents coups*, 1959, réalisateur François Truffaut avec Jean Pierre leaud, Collection ChristopheL© Les Films du Carrosse/Sedif Productions - **102 g** alder-Fotolia.com - **102 hd** *Entre les murs*, 2008, réalisateur Laurent Cantet avec Wei Huang, Nassim Amrabt, Franck Keita, Esmeralda Ouertani, Henriette Kasaruhanda, Justine Wu. Collection Christophel © Haut et Court/France 2 Cinema - **102 hg** Tryklia-Fotolia.com - **110** Davor Pavelic/Ikon Images/Photononstop - **112** Mimi Potter-Fotolia.com - **114 a** Chris Turner/Stone/Gettyimages - **114 b** Tom Merton/Caiaimage/Gettyimages - **114 c** Kontrec/Istock/Gettyimages - **114 d** Mandy Koplin/EyeEm//Gettyimages - **114 e** Evgeny Atamanenko/123rf - **114 hg** jackscoldsweat/E+/Gettyimages - **118** Ginies/Sipa/Niki de Saint Phalle porte une de ses oeuvres ©2018 Niki Charitable Art Foundation/Adagp, Paris - **120** Librairie Pantoute - **122 a** JR/Boris Horvat/Afp - **122 b** Les Trois Mousquetaires, Alexandre Dumas, www.pocket.fr - **122 c** *Un + Une*, 2015, Réalisateur Claude Lelouch avec Jean Dujardin, Elsa Zylberstein, Collection Christophel © Les films 13/Davis Films - **122 d** *L'Avare* de Molière, Mise en scène : Catherine Hiegel - Décor : Goury - Lumière : Borrini Dominique - Costumes : Christian Gasc - Avec : Denis Podalydes : Harpagon - Salle Richelieu - Comédie Française - Paris, le 17 septembre 2009 - © Brigitte Enguerand / Divergence - **122 f** akg-images/Erich Lessing - **122 g** Paris La Douce/*L'Embâcle*, sculpture-fontaine de Charles Daudelin, 1984 ©Adagp, Paris 2018.

Références Textes - 20 « Un déjeuner pour réunir des étudiants et des personnes âgées », Mathilde Gaudechoux, *Le Figaro*, 27/03/2017 - **40** « Le DIY, plaisir de faire soi-même », Adrien Bail publié dans *La Croix*, 02/01/2017 - **60** « Médias et information, on apprend ! », 2017-2018, www.clemi.fr - **80** Agnès Clermont, www.ouest-france.fr, 26/01/2017 - **82** Quizz écolo : « Etes-vous calée en écologie ? », *Version Femina*/Scoop - **92** « Après avoir conquis la rue, le street art fait sa place au musée », Afp, publié dans *La Croix*, 28/09/2016 - **100** Ministère de la Culture, 2017 - **120** ActuaLitte.com.

Références Audio - pistes 6 10, 123 « Apimka : Toutes les informations sur votre futur logement », www.apimka.fr - **13 30, 124** « J'aime ma boîte » : une journée pour célébrer le bonheur au travail », France 2, 13/10/2016/France télévisions - **20 50, 125** Émission « Europe Matin », chronique « Comment s'y retrouver avec le français de nos régions » par Louise Ekland, Europe 1, 2/12/2016 - **28 70, 127** Chronique « Hébergements insolites pour les vacances », par Philipe Lefèvre, France Inter, 19/03/2017 - **35 90, 128** Émission « Et si demain ? », « Et si demain vous agissiez dans votre ville ? », France Inter, 26/06/2017, chroniqueuse Catherine Boullay. Avec l'aimable autorisation de Catherine Boullay - **43 110, 129** Reportage « C'est ma santé », « Le sport a des effets bénéfiques sur notre cerveau », par Bruno Rougier, France Info, 28/02/2017 - **44 112, 130** « Ces objets connectés qui feront notre quotidien demain », France 3, 26/10/2017/France Télévisions.

VIVRE ENSEMBLE

Grammaire

[LE SUBJONCTIF PRÉSENT] p. 14

1 Reformulez les phrases suivantes en utilisant *Il faut que*.

a. Nous devons écouter le discours avant de commencer à manger.

....

b. Elles doivent prendre un bus pour aller à La Louve.

....

c. Tu dois aller au supermarché cet après-midi.

....

d. Nous devons mettre la table dehors.

....

e. On doit faire la vaisselle avant de partir.

....

f. Vous devez venir au dîner de fin d'année.

....

g. Tu dois avoir ton invitation pour venir à la cérémonie.

....

h. Je dois dire à mes invités d'arriver à l'heure.

....

[LE SUBJONCTIF PRÉSENT] p. 14

2 Conjuguez les verbes entre parenthèses.

a. Je veux bien que tu (acheter) .... des légumes pour la soupe.

b. Il faut que nous (partir) .... tôt.

c. Il faut que tu (savoir) .... que Sylvain viendra aussi au cours de cuisine.

d. Ils veulent bien que je (choisir) .... le menu pour mon anniversaire.

e. Je refuse que tu (boire) .... du café le soir.

f. Il faut que vous (étudier) .... l'histoire de la gastronomie en France pour l'examen.

g. Il faut que tu me (croire) ....

[LE SUBJONCTIF PRÉSENT] p. 14

3 Complétez ce mail que Marina écrit à son amie avec les verbes suivants et conjuguez-les si nécessaire : *savoir, porter, inviter, donner, travailler, connaître, servir, recevoir, parler.*

	À...	julie.favrin@wanadoo.fr
Envoyer	Cc...	
	Objet :	Des nouvelles

Chère Julie,

J'ai enfin commencé mes études de cuisine dans l'école-restaurant de Dijon. Je vis dans l'école et nous devons .... dans le restaurant tous les jours. C'est intéressant mais le rythme est assez dur. Parfois on cuisine, mais on est aussi obligé de .... en salle. Je n'aime pas trop ça, mais il faut bien que je .... tous les métiers de la restauration. Et puis il faut que nous .... un uniforme pas très confortable pour servir à table.

Je voulais t'inviter à passer un week-end à Dijon, mais malheureusement tu ne peux pas dormir chez moi car l'école refuse qu'on .... des gens pour dormir. Par contre, nous sommes autorisés à .... quelqu'un au restaurant. Ce serait super que tu viennes y manger ! Mais il faut que tu .... qu'il est défendu de .... aux clients comme à des amis car nous sommes notés sur la qualité du service.

Je veux bien que tu .... les livres de cuisine que j'ai laissés chez toi s'ils prennent trop de place.
Donne-moi vite des nouvelles !
Bises
Marina

 **Vocabulaire**

[CUISINER] p. 15

1 Entourez l'expression qui convient dans chaque phrase.

a. Avant de servir une salade verte, il faut la laver et (l'égoutter / la mélanger), puis (l'épicer / l'assaisonner).

b. Pour préparer des œufs durs, il faut les faire (frire / bouillir) pendant 10 minutes et ensuite les passer sous l'eau froide.

c. Il ne faut jamais oublier de (saler / poivrer) l'eau des pâtes, sinon elles seront fades.

d. L'ail est plus facile à digérer si on (l'épluche / le hache) finement avant de l'ajouter à une préparation.

e. Un bon poulet au four doit être (réchauffé / rôti) à la broche.

f. Ce n'est pas utile (d'éplucher / de mélanger) les légumes quand ils sont bio.

[DONNER SON OPINION SUR UN PLAT] p. 15

2 Écoutez et dites quelle opinion pourrait donner chaque personne à propos du plat qu'elle décrit.

1. C'est indigeste – **2.** C'est délicieux – **3.** C'est un régal – **4.** C'est immangeable –
5. C'est comestible

a. Pascale : ....

b. Philippe : ....

c. Juliette : ....

d. Myriam : ....

e. Richard : ....

[L'ALIMENTATION] p. 15

3 Complétez le texte avec les mots suivants : *l'origine, l'étal, la queue, provisions, les hypermarchés, la caisse, le label bio, les prix, un chariot, les étiquettes, les producteurs.*

Annie préfère faire ses courses au supermarché. On y trouve de tout, alors c'est pratique.

Elle prend .... à l'entrée et elle se promène dans les rayons.

Elle prend son temps pour lire .... et comparer ....

Elle fait attention à .... des produits et elle préfère acheter ceux qui ont

.... Elle privilégie les .... français. Elle termine

en général par .... des fruits et légumes. Comme elle choisit bien le moment pour

faire ses ...., elle ne fait pas trop longtemps .... quand

elle passe à .... Par contre elle n'aime pas trop ....,

ils sont vraiment trop grands.

 Phonétique

[LE MOT PHONÉTIQUE ET LA VIRGULE PHONÉTIQUE] p. 15

Découpez le texte suivant, et ajoutez la ponctuation et les majuscules. Lisez-le ensuite à haute voix et comparez avec l'enregistrement.

a. oncroitsavoirlapréparercettesoupeauxpoireauxpourtantcenestpassisimple

b. quandlesrelationsaveclevoisinagesontcordialesonpeutserendreservicesansproblème

c. vousavezprévudefaireunefêteunpeubruyantemettezunmotenbasdelimmeubleoudanslascen
seurlesvoisinsapprécieront

d. lecomportementcourtoisauvolantpermetdéviterlestressinutileunsimplegestedexcuseunsou
rireunremerciementcréentunclimatderespectmutueldonttoutlemondeprofitera

e. pourfairedécouvrirdessaveursexotiquesnousaimerionsorganiserdansnotreécoleunbuffetsurle
thèmedesvoyagesculinaireslesplatsproposéssontsavoureuxilsnelaisserontpersonneindifférent

Grammaire

[CONSEILLER] **p. 18**

1 Associez les éléments pour former des phrases.

a. À ta place, •
b. Il vaut mieux •
c. Il vaudrait mieux que •
d. Tu ferais mieux •
e. Si tu veux un conseil, •
f. C'est mieux si •

• **1.** tu prennes une entreprise pour ton déménagement.
• **2.** de repeindre les murs de ton salon en blanc.
• **3.** tu devrais parler avec ton voisin.
• **4.** je chercherais un appartement dans un autre quartier.
• **5.** tu sonnes avant d'entrer.
• **6.** prendre une assurance pour son logement.

[CONSEILLER] **p. 18**

2 Donnez des conseils pour trouver un logement. Conjuguez les verbes et faites des transformations si nécessaire.

a. Il faudrait que tu (faire) .... le point sur ton budget.

b. Il vaut mieux (visiter) .... quelques quartiers avant de chercher un logement.

c. Il vaudrait mieux que tu (préparer) .... un dossier avec tous les papiers nécessaires.

d. Il vaut mieux que tu (s'entraîner) .... à téléphoner à des propriétaires pour faire bonne impression.

e. Il faudrait (trouver) .... une colocation pour payer moins cher.

f. Il vaudrait mieux que tu (tenir) .... un journal de tes visites d'appartement.

g. Il faudrait que tu (suivre) .... mes conseils.

h. Il vaut mieux que tu (se mettre) .... rapidement à la tâche.

[CONSEILLER] **p. 18**

3 Donnez des conseils à ces personnes.

a.

b.

c.

a. ....

b. ....

c. ....

d.
e.
f.

d. ....

e. ....

f. ....

[LA NÉGATION ET LA RESTRICTION]   p. 22

4 Remettez les mots dans l'ordre pour former des phrases.

a. à / ai / Je / jamais / n' / habité / Paris.

....

b. encore / Il / loyer. / pas / payé / n' / son / a

....

c. ne / voisins. / de / de / décidé / pas / avons / fête / refaire / des / Nous

....

d. jamais / ce / n' / restaurant. / irai / plus / Je / dans / manger

....

e. au / ni / avait / fruits / y / ni / magasin. / n' / Il / légumes / plus

....

f. manque / Personne / le / aime / n' / courtoisie. / de

....

g. Il / étudiants / a / que / immeuble. / des / cet / n' / dans / y

....

[LA NÉGATION ET LA RESTRICTION]   p. 22

5 Reformulez les phrases avec l'expression entre parenthèses comme dans l'exemple.

Exemple : *Je mange encore de la viande. (plus)*
→ *Je ne mange plus de viande.*

a. Il faut mettre ses coudes sur la table. (jamais)

....

b. Quelqu'un est venu hier au kot. (personne)

....

c. J'ai préparé quelque chose pour mes voisins. (rien)

....

d. J'ai écrit et téléphoné à tous mes voisins pour le Nouvel An. (ni ... ni ...)

....

e. Ça sert toujours à quelque chose de s'énerver en voiture. (jamais / rien)

....

f. On trouve des produits bio dans ce supermarché collaboratif. (ne ... que)

....

g. Ma mère sait préparer les pâtes au beurre. (ne ... que)

....

h. Nous avons déjà pris nos billets pour le spectacle de danse. (pas encore)

....

i. Tout a été fait pour que la fête soit parfaite. (rien)

....

[LA NÉGATION ET LA RESTRICTION] **p. 22**

6 Écoutez et reformulez les phrases avec une restriction comme dans l'exemple.

cd 4

Exemple : *Il y a seulement des pâtes à la maison.*
→ *Il n'y a que des pâtes à la maison.*

a. ....

b. ....

c. ....

d. ....

e. ....

f. ....

[LE PRÉFIXE PRIVATIF *IN-, IL-, IM-, IR-*] **p. 22**

7 Complétez les mots avec un préfixe privatif.

a. Ce règlement de copropriété est totalement ....juste.

b. J'aimerais faire partie d'un supermarché collaboratif mais c'est ....possible. La liste d'attente est énorme.

c. Votre comportement est très ....respectueux.

d. La répartition des pièces dans cet appartement est complètement ....logique.

e. Je fais mes courses de manière ....régulière au marché hebdomadaire de ma ville.

f. Ce jus d'ananas est ....buvable.

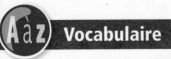 **Vocabulaire**

[LE LOGEMENT / LA CONVIVIALITÉ] p. 23

1 Écoutez et retrouvez les mots mystères grâce aux charades, comme dans l'exemple.

 cd 5

Exemple : *Mon premier : bas*   *Mon deuxième : tire*   *Mon tout : bâtir.*

a. Mon premier : .... Mon deuxième : .... Mon troisième : ....
Mon tout : ....

b. Mon premier : .... Mon deuxième : .... Mon troisième : ....
Mon tout : ....

c. Mon premier : .... Mon deuxième : .... Mon troisième : ....
Mon quatrième : .... Mon tout : ....

d. Mon premier : .... Mon deuxième : .... Mon troisième : ....
Mon quatrième : .... Mon tout : ....

[LE LOGEMENT / LA CONVIVIALITÉ] p. 23

2 Complétez les mots du dialogue.

Monsieur Gomez : Vous avez lu le compte rendu de la réunion de la C _ _ _ O _ _ I _ _ É ?

Madame Pignon : Non pourquoi ?

Monsieur Gomez : Il a été question de problèmes de T _ _ A _ E N _ C _ U_R _ E.
Le G _ R _ _ E _ va mettre un mot dans l'ascenseur pour demander aux habitants de faire moins
de B _ _ IT.

Madame Pignon : C'est surtout les C _ _ O _ _ T _ _ _ ES du 3ᵉ qui exagèrent.

Monsieur Gomez : Et la chanteuse d'opéra qui habite au 1ᵉʳ !

Madame Pignon : Il faudrait que tout le monde fasse un effort pour vivre dans
la C_ NV_ _I_ L_ _É.

Monsieur Gomez : Je suis bien d'accord. Il faut respecter l'I_ _ I _ ITÉ de chacun pour bien vivre
ensemble.

[LE LOGEMENT / LA CONVIVIALITÉ] p. 23

3 Retrouvez les paires de sens similaire.

a. cohabiter   •   • **1.** partager
b. mettre en commun •   • **2.** avoir du savoir-vivre
c. s'entraider   •   • **3.** collaborer
d. être poli   •   • **4.** vivre ensemble
e. participer   •   • **5.** être solidaire

Compréhension orale

APIMKA, TOUT SAVOIR SUR SON FUTUR LOGEMENT

Écoutez et répondez aux questions. cd 6

1 Ce document est :

O une publicité.
O un message de prévention.
O un guide de consommation.

2 Ce document s'adresse aux personnes qui :

O cherchent un logement.
O ont un logement à louer ou à vendre.

3 Combien de Français s'installent dans un nouveau logement chaque année ?

O 1 million   O 2 millions   O 3 millions

4 Quels sont les problèmes de Romain dans son nouvel appartement (plusieurs réponses possibles) ?

O Il fait froid.
O Il y a des souris et des rats.
O Il a des problèmes d'humidité.
O Les voisins sont bruyants.

5 Sur le site APIMKA, on peut :

O trouver des conseils pour éviter les pièges des annonces immobilières.
O lire des témoignages de locataires en conflit avec leur propriétaire.
O partager des informations sur des logements.

6 Qui partage son expérience sur le site APIMKA ?

O les anciens habitants d'un logement
O les propriétaires de logements à louer

7 Sur APIMKA, on trouve des informations sur (plusieurs réponses possibles) :

O la mairie.
O les quartiers.
O les logements.
O les sites de petites annonces.

8 Quelle expression signifie que Romain va maintenant passer de bonnes nuits dans son nouveau logement ?

O C'est sûr, il n'aura plus besoin de bouchons d'oreilles.
O Il est sûr de dormir sur ses deux oreilles.

✎ Production écrite

Vous écrivez au maire de votre ville pour lui demander d'organiser la Fête des voisins en mai prochain. Vous lui présentez les avantages de cette fête et vous lui donnez des conseils pour que tout soit réussi. Vous écrirez un texte construit et cohérent (160 à 180 mots).

Préparation au DELF B1 — Production orale

[EXERCICE EN INTERACTION]

Vous tirez au sort deux sujets et vous en choisissez un. Vous jouez le rôle qui vous est indiqué.

Sujets au choix :

Sujet 1

Vous voulez partager votre appartement avec une autre personne. Vous recevez un(e) colocataire potentiel(le), vous lui faites visiter l'appartement et vous lui expliquez quelles sont les règles de vie à respecter.

Sujet 2

Vous cherchez un appartement. Vous allez dans une agence et vous discutez avec l'agent immobilier. Vous lui expliquez quel type de logement vous voulez, dans quel quartier vous aimeriez habiter, etc.

LE GOÛT DES NÔTRES

 **Grammaire**

[LE PASSÉ COMPOSÉ ET L'IMPARFAIT] p. 30

1 Passé composé ou imparfait ? Écoutez et choisissez.

cd 7

	a	b	c	d	e	f	g	h
Passé composé								
Imparfait								

[LE PASSÉ COMPOSÉ ET L'IMPARFAIT] p. 30

2 Réécrivez ce texte au passé composé.

Chaque matin, Camille se réveillait à 7 heures. Elle se douchait et elle s'habillait. Ensuite, elle prenait son petit déjeuner. Puis, elle se préparait pour partir au travail. Avant de commencer à travailler, elle buvait un café avec ses collègues. Après le travail, elle allait se promener. Puis, elle rentrait pour préparer le repas. Comme chaque soir, Camille mangeait devant la télé. Après, elle faisait la vaisselle et elle téléphonait à ses amies. Ensuite, elle répondait à ses mails et elle s'endormait vers minuit.

Ce matin, comme tous les matins, Camille s'est réveillée à 7 heures. Elle ....

....

....

....

....

....

....

....

[LE PASSÉ COMPOSÉ ET L'IMPARFAIT] p. 30

3 Passé composé ou imparfait ? Conjuguez les verbes à la forme qui convient. Faites les modifications nécessaires.

a. Quand je (arriver) .... chez mes parents, il (pleuvoir) ....

et il (pleuvoir) .... pendant tout le week-end.

b. Je / J' (dormir) .... quand ma fille me / m' (appeler) ....

c. Le week-end dernier, il (faire) .... beau et nous (aller) ....
nous promener dans la forêt.

d. Hier, je / j' (voir) .... ma cousine, elle (être) .... toute bronzée.

e. Quand mon père (rencontrer) .... ma mère, il (avoir) .... 20 ans.

f. Il (avoir) .... deux ans quand il (devenir) .... orphelin.

g. Il (ne pas venir) .... parce qu'il (avoir) .... trop de travail.

[LE PASSÉ COMPOSÉ ET L'IMPARFAIT] **p. 30**

4 Conjuguez les verbes au passé composé ou à l'imparfait. Faites les modifications nécessaires.

Il y (avoir) .... en moi ce besoin de rechercher mes racines et à la fois une peur de
ce que je / j' (pouvoir) .... découvrir. Mais l'envie de connaître mon histoire
.... (être) plus forte. Quand le moment de découvrir le mystère (arriver) ....
..........................., je / j' (hésiter) .... Pourtant quelque chose me / m' (pousser) ....
.... à continuer. Mon cœur (se mettre) .... à battre comme un
fou, quand je / j' (voir) .... mon prénom. Je (ne plus être) ....
.... un enfant venu de nulle part. Le premier pas (être fait) .... Et
après de nombreuses recherches, je / j' (enfin réussir) .... à remonter à mes origines.

Aàz Vocabulaire

[L'ÊTRE HUMAIN ET LA FAMILLE] **p. 32**

1 Barrez l'intrus.

a. milieu – origines – identité – souvenirs

b. individu – tribu – adolescent – adulte

c. fierté – incrédulité – génération – sensibilité

d. séparation – lien – cellule – union

[LES PERCEPTIONS ET LES SENTIMENTS] **p. 32**

2 Associez les mots de sens proche.

1. s'affirmer •   • **a.** essayer de trouver sa voie

2. se chercher •   • **b.** être plus assuré

3. éprouver •   • **c.** porter de l'intérêt à qqch

4. goûter •   • **d.** qui donne des forces

5. réconfortant •   • **e.** ressentir

6. se sentir concerné •   • **f.** vouloir absolument

7. tenir à (faire qqch) •   • **g.** savourer

[LES MEMBRES DE LA FAMILLE] p. 32

3 Vrai ou faux ?

a. Je suis issu d'une fratrie de trois enfants. J'ai donc deux frères.   ○ Vrai   ○ Faux
b. J'ai une grand-mère et un grand-père. Ce sont mes aïeuls.   ○ Vrai   ○ Faux
c. Il a de nombreux descendants. Il s'agit de ses parents
   et de ses grands-parents.   ○ Vrai   ○ Faux
d. Ma nièce est la fille de mon oncle.   ○ Vrai   ○ Faux
e. Mon cousin est le fils de ma tante.   ○ Vrai   ○ Faux
f. Il est orphelin de père signifie qu'il a perdu son père.   ○ Vrai   ○ Faux

[LES RELATIONS FAMILIALES] p. 32

4 Reliez les contraires.

a. marié   •   • **1.** éloigné
b. retrouvailles •   • **2.** ensemble
c. proche   •   • **3.** célibataire
d. célibat   •   • **4.** séparation
e. séparément   •   • **5.** mariage

Phonétique

[L'ÉGALITÉ SYLLABIQUE ET L'ALLONGEMENT DE LA VOYELLE ACCENTUÉE] p. 32

1 Remettez les syllabes dans l'ordre pour former à chaque fois deux mots ou expressions. Soulignez ensuite la syllabe accentuée dans chaque mot ou expression et lisez-les en allongeant la fin.

a. mar – Col – lhouse – Mu

....

b. a – ver – ture – hi – ven

....

c. co – maire – llège – pri

....

d. ba – riage – cé –ma – taire – li

....

e. changes – rires – é – fous

....

2 Écoutez l'enregistrement, puis écrivez les phrases et répétez-les.
cd 8

a. ....
b. ....
c. ....
d. ....
e. ....

Grammaire

[LES INDICATEURS DE TEMPS (1)] p. 35

1 Reconstituez les phrases.

a. On / il / est / connus / s' / y / dix / a / ans.

....

b. heures ! / regardes / la / depuis / trois / Tu / télé

....

c. ont / adopté / Ils / il / y / jours. / quelques / a / l'

....

d. ils / temps / fait / mariés ? / Ça / de / qu' / sont / combien

....

e. un / Il / a / adressé / la / son / parole / à / depuis / pas / mois. / n' / père

....

f. fait / Ça / ans / ma / questions. / que / des / trois / fille / me / pose

....

g. semaines. / n' / écrit / Je / à / sœur / depuis / plus / plusieurs / ma / ai

....

h. quelques / changé / ont / en / années. / bien / Ils

....

i. petit / Elle / le / appelé / pendant / je / a / préparais / m' / déjeuner. / que

....

[LES INDICATEURS DE TEMPS (1)] p. 35

2 Soulignez l'expression correcte.

a. Ils se sont rencontrés (depuis / il y a) cinq ans.

b. Nous avons réglé ce conflit (pendant / en) deux minutes.

c. Il a vécu chez nous (depuis / pendant) six ans.

d. Je vous rejoins (depuis / dans) dix minutes.

e. Le bébé des voisins a pleuré (depuis / pendant) toute la nuit.

f. J'ai fait sa connaissance (pendant / depuis) le voyage de retour.

g. (Pendant / Depuis) son mariage, je ne la vois presque plus.

h. Incroyable! Ils ont mangé le dessert (pendant / en) deux minutes !

i. Son anniversaire c'était (il y a / depuis) trois jours.

j. Il a quitté le village (il y a / en) trois ans.

[LES INDICATEURS DE TEMPS (1)] p. 35

3 Associez une question à une réponse.

a. Ça fait longtemps qu'elle cherche à le contacter ? •   • **1.** Il y a cinq ans.

b. Ils se marient dans combien de temps ? •   • **2.** Oui, pendant trois semaines.

c. Quand vous êtes-vous rencontrés ? •   • **3.** On est rentrés il y a trois jours.

d. Vous êtes de retour depuis quand ? •   • **4.** À la fin du xviie siècle.

e. À quelle heure passerez-vous nous prendre ? •   • **5.** Nous avons emménagé la
semaine dernière.

f. Vous habitez ici depuis longtemps ? •   • **6.** En quelques années seulement.

g. Ils vont partir à Noël ? •   • **7.** Depuis ce matin.

h. À quelle époque remonte cet arbre généalogique ? •   • **8.** Entre midi et midi et demi.

i. Est-on passé rapidement à la photo numérique ? •   • **9.** Dans un mois.

[LES INDICATEURS DE TEMPS (1)] p. 35

4 Complétez avec les indications de temps : *entre, au début de, à la fin de, dans, il y a, pendant, depuis, en.*

Ils se sont rencontrés entre deux tournages .... 10 ans. C'était ....

.... l'année 2006. Leur fille Eva est née .... la même année. Leur

histoire d'amour va faire rêver les Français .... plus de 8 ans. Leurs carrières

les empêchaient parfois de se voir .... des mois. Malgré cela, il reste entre

eux une belle complicité .... leur première rencontre. ....

5 ans, ... 2010 et 2015, ils ont réussi à tourner dans quatre films.

Cependant, ils annoncent leur rupture en 2016. ...., ils restent en très

bons termes pour le bien de leur fille. .... de nombreuses années on se

souviendra encore de ce couple mythique.

[L'ACCORD DES VERBES PRONOMINAUX AU PASSÉ COMPOSÉ] p. 38

5 Classez les verbes suivants selon que le pronom « se » représente un COD ou un COI.

se rencontrer – se demander – s'écrire – se voir – se parler – se plaire – se quitter – s'inscrire –
se dire – se perdre – se sourire – s'excuser – se disputer

« Se » représente un COD	« Se » représente un COI

[L'ACCORD DES VERBES PRONOMINAUX AU PASSÉ COMPOSÉ] p. 38

6 Soulignez les verbes qui n'existent qu'à la forme pronominale.

se souvenir – se rencontrer – s'absenter – se confier – s'efforcer – se marier – s'obstiner – se moquer – se méfier – se résoudre

[L'ACCORD DES VERBES PRONOMINAUX AU PASSÉ COMPOSÉ] p. 38

7 Écoutez et répondez aux questions comme dans l'exemple. cd 9

Exemple :
– Mon fils s'est levé à dix heures ce matin, vos enfants aussi ?
– Oui, ils se sont levés à dix heures aussi.

a. ....

b. ....

c. ....

d. ....

e. ....

f. ....

g. ....

[L'ACCORD DES VERBES PRONOMINAUX AU PASSÉ COMPOSÉ] p. 38

8 Conjuguez les verbes au passé composé et accordez-les si nécessaire.

a. Se retrouver et ne plus se quitter.

Nous ....

b. Se sourire et se plaire au premier regard.

Ils ....

c. Se rencontrer et s'entendre tout de suite.

Nous ....

d. Se séparer et se perdre de vue.

Elles ....

e. Se téléphoner et se parler longuement.

Nous ....

f. S'inscrire sur un site de rencontre et se mettre à la recherche de l'âme sœur.

Elle ....

g. Se trouver et ne jamais se disputer.

Ils ....

h. S'écrire et se mentir pendant plus de deux mois.
Elles ....

 **Vocabulaire**

[LES SENTIMENTS ET ÉTATS] p. 39

1 Retrouvez les noms correspondant aux verbes suivants et indiquez leur genre.

a. attendre : ....

b. craindre : ....

c. désirer : ....

d. envier : ....

e. espérer : ....

f. manquer : ....

g. s'inquiéter : ....

h. rire : ....

[LES RELATIONS SOCIALES] p. 39

2 Associez chaque verbe à sa construction.

Exemple : *a-2*

Verbes : a. appartenir – **b.** bavarder – **c.** se confier – **d.** convaincre – **e.** coopérer –
f. s'entendre – **g.** être attaché – **h.** partager – **i.** séduire

Constructions : 1. avec qqn – **2.** à qqn, à qqch – **3.** à qqn – **4.** qqn – **5.** qqch avec qqn

....

[LES CONNEXIONS INFORMATIQUES] p. 39

3 Complétez les phrases avec les expressions suivantes : *album de photos numériques,*
logiciel, application, jeux en ligne, garder le contact, outil informatique, pseudonyme,
réseaux, sauvegarder, skyper.

a. Quand on saisit un long texte, il faut penser à le ....

b. .... signifie téléphoner grâce au .... Skype.

c. Des centaines de .... sont à découvrir sur ce nouveau site.

d. « Pseudo » est l'abréviation de ...., très utilisée sur les .... sociaux.

e. Une .... est un programme informatique, synonyme de « logiciel ».

f. De nombreux logiciels offrent la possibilité de créer un ....

g. Les seniors souhaitent maîtriser l'.. pour

.... avec leurs petits-enfants.

[LES NOTIONS ET IDÉES] p. 39

4 Retrouvez les mots cachés.

a. persister : s' __ __ s __ i __ __ r

b. assez : s __ f __ i __ a __ m __ nt

c. se décider : se __ é __ __ u __ r __

d. fin logique : __ o __ c __ u __ i __ n

e. obstiné : __ ê __ u

f. opinion : __ v __ s

g. pertinent : j __ di __ ie __ x

h. accepter : a __ s __ m __ r

Compréhension écrite

Lisez le document et répondez aux questions.

Un déjeuner pour réunir des étudiants et des personnes âgées

[...] Plus d'un senior sur deux est isolé dans les grandes villes. C'est en partant de ce constat qu'Énora, 20 ans, a créé le site Paupiette. La plateforme met en relation des personnes âgées qui acceptent de préparer un déjeuner pour des étudiants et de les recevoir. D'une pierre, deux coups pour la fondatrice, étudiante en licence de gestion des entreprises. « *D'un côté, il y a des personnes âgées qui souffrent de solitude et de l'autre, des étudiants sans le sou qui se nourrissent mal* », explique-t-elle.

Lancé en février 2016, le site est implanté à Bordeaux et à Quimper et s'installe à Paris début avril. Il regroupe plus d'une centaine de membres actifs. Et actifs, ils le sont ! A l'instar de Françoise, 69 ans, ancienne infirmière : « *J'aime bouger, mais à la suite de problèmes de santé, je ne peux plus tout faire. J'adore cuisiner des plats traditionnels, j'essaie de préparer aux étudiants des plats qu'ils n'ont pas au quotidien et ça me permet aussi de rester dans le bain des jeunes !* » Sa spécialité : le bœuf bourguignon. De quoi ravir Florian, 22 ans, étudiant à Bordeaux en communication, adepte du site depuis janvier : « *J'ai l'habitude d'aller au restaurant universitaire, mais ça manque un peu d'humanité, je cherche à manger de meilleurs produits, je n'ai plus les mêmes envies qu'au lycée* ». Manger mieux a été le premier critère pour lui pour rejoindre l'aventure. Mais il a été vite surpris par la convivialité des échanges. « *Après le repas, nous sommes tous restés 1 h 30 dans le salon à refaire le monde !* » [...]

Développer des initiatives intergénérationnelles est une vraie préoccupation pour Énora. Elle pense étendre Paupiette aux dîners, aux apéros et pourquoi pas à des ateliers culinaires où chacun échange son savoir-faire. La cuisine est bien souvent le socle de belles rencontres. Elle insiste sur ce point. Car, même s'il s'agit d'un bon plan pour les étudiants (entre 4 et 7 euros le repas), elle tient à ce que la convivialité soit la première des motivations. « *Nous ne sommes pas le Blablacar des déjeuners. Si on n'a pas envie de passer un vrai moment d'échange, autant rester sur son muret avec son panini et son smartphone* ». Les participants sont avertis ! [...]

Mathilde Gaudechoux, lefigaro.fr, 27/03/2017

1 **Que montrent les statistiques au début de l'article ?**

....

2 **Quelle est l'idée du site Paupiette ?**

....

....

3 **Quel double objectif Énora, sa créatrice, poursuit-elle ?**

....

....

4 **Qu'est-ce qui motive Françoise dans la préparation des plats pour les étudiants ?**

....

....

5 **Pour quelles raisons Florian a-t-il décidé de participer à ces déjeuners ?**

....

....

6 **Que signifie l'expression « refaire le monde » ?**
O changer le monde
O discuter sur comment devrait être le monde
O prendre un nouveau départ dans la vie

7 **À quelles autres activités Énora pense-t-elle élargir les services du site ?**

....

8 **Quel est selon elle l'avantage de la cuisine ?**

....

9 **Vrai ou Faux ?**
a. Ces repas sont gratuits pour les étudiants.   O Vrai   O Faux
b. La convivialité est un vrai moment d'échange.   O Vrai   O Faux

 **Détente**   **EN FAMILLE**

1 Retrouvez le lien de parenté entre ces personnes célèbres.

Louis Chedid

Andrée Chedid

Matthieu Chedid

a. ....

....

....

Jean-Pierre Dardenne | Luc Dardenne

Vanessa Paradis

Lily-Rose Depp

b. ....

....

....

c. ....

....

....

Isabelle Adjani

Zoé Adjani-Vallat

d. ....

....

....

2 Complétez les titres de ces œuvres littéraires avec les mots proposés : *enfants, papa, cousine, mère, sœurs, père, fille, frère.*

a. « Mon .... est femme de ménage » (Saphia Azzeddine)

b. « Le Château de ma .... » (Marcel Pagnol)

c. « Les .... terribles » (Jean Cocteau)

d. « La .... Bette » (Honoré de Balzac)

e. « Son .... » (Philippe Besson)

f. « L'Autre .... » (Annie Ernaux)

g. « .... doit manger » (Marie Ndiaye)

h. « Deux .... » (Madeleine Chapsal)

TRAVAILLER AUTREMENT

Grammaire

[LES PRONOMS RELATIFS SIMPLES] **p. 46**

1 Entourez le pronom relatif qui convient.

a. Léo est un entrepreneur web (que / qui / dont) est spécialisé dans la création de sites internet.

b. C'est la routine (que / dont / où) je déteste le plus dans mon travail.

c. Cette entreprise est située à La Défense, un quartier (qu' / où / dont) il y a beaucoup de tours.

d. Tu connais ce nouvel espace de coworking (que / qui / dont) tout le monde parle ?

e. Près de 70 % des coworkers sont des hommes (qui / dont / que) la moyenne d'âge est de 34 ans.

f. Voici l'entreprise (qui / qu' / où) elle travaille.

g. Grâce au cohoming, on peut partager un espace (que / où / qui) permet de disposer d'un lieu de travail convivial.

h. Blogueur est le métier (dont / que / qui) les nomades digitaux exercent le plus.

i. Cette blogueuse mode a créé un site (qu' / où / dont) on peut acheter des vêtements vintage.

j. Mon ami Tony est un travailleur nomade digital. L'année (où / qu' / dont) il était à Rio, il m'a beaucoup manqué.

k. Le portable (où / que / qui) se trouve sur ton bureau est à qui ?

[LES PRONOMS RELATIFS SIMPLES] **p. 46**

2 Complétez les phrases par *que* ou *dont*.

a. La chose .... j'ai le plus peur, c'est de perdre mon emploi.

b. C'est le projet .... j'étais responsable l'année dernière.

c. Le CV .... j'ai reçu était celui de Marie-Louise Guéguin.

d. Sandra exerce enfin le travail .... elle avait envie.

e. Paul n'est pas coupable de la faute .... son chef l'accuse.

f. Voici l'ordinateur .... j'utilise tous les jours.

g. Les décisions .... le PDG a prises ont permis à l'entreprise de se développer.

h. Le dossier .... elle a besoin est dans mon bureau.

i. L'équipe .... il s'occupe est très motivée.

j. Le poste .... Jules occupe dans la compagnie est très important.

k. Ce n'est pas la vie professionnelle .... je rêvais quand j'étais jeune.

 **Vocabulaire**

[LE TRAVAIL INDÉPENDANT] p. 47

1 Retrouvez la profession de ces quatre travailleurs parmi les propositions suivantes : *consultant(e) / autoentrepreneur(-euse) / PDG / informaticien(ne) / blogueur(-euse) / webmaster / journaliste / chef de service.*

a. Diane travaille en freelance pour différents médias. On peut lire ses articles dans la presse écrite ou sur le Web : ....

b. Lila crée des sites. Elle connaît bien tous les langages informatiques et est très créative : ....

c. Maël est un bon technicien car il sait réparer les ordinateurs. Il installe également des logiciels et des systèmes d'exploitation dans les entreprises : ....

d. Nathanaël intervient dans les entreprises pour donner des conseils mais aussi pour analyser et résoudre des problèmes dans différents domaines. C'est un excellent communicant : ....

[LE TRAVAIL INDÉPENDANT / SALARIÉ] p. 47

2 Écoutez et cochez la situation actuelle des personnes suivantes. cd 10

	En congé	Traducteur (-trice)	Nomade digital(e)	Au chômage	Photographe
a. Juliette					
b. Victoire					
c. Lucas					
d. Olivier					
e. Thalia					

[LES LIEUX DE TRAVAIL] p. 47

3 A. Observez les photos et écrivez le lieu de travail correspondant.

a. .... **b.** .... **c.** ....

d. ....

e. ....

f. ....

g. ....

B. Imaginez la (ou les) profession(s) et les activités des personnes qui travaillent dans ces lieux (plusieurs réponses possibles).

....

....

....

....

....

Phonétique

[LA PRONONCIATION DE LA CONSONNE FINALE] p. 47

Écoutez l'enregistrement et répondez oralement aux questions comme dans l'exemple. Écrivez vos réponses.

 cd 11

Exemple : – *Est-ce qu'il descend ?*   – *Qu'il descende !*

a. ....

b. ....

c. ....

d. ....

e. ....

f. ....

g. ....

h. ....

Grammaire

[L'EXPRESSION DE L'OPINION (1)] p. 50

1 Barrez les trois intrus.

À votre avis   *Personnellement*

Quant à moi   À mon tour   Pour elle

En ce qui me concerne

À moi   À vos souhaits   *selon lui*   D'après vous

[L'EXPRESSION DE L'OPINION (1)] p. 50

2 Transformez les phrases suivantes en utilisant un verbe d'opinion.

Exemple : *À mon avis, je pourrais encore améliorer ma lettre de motivation.*
→ *Je me disais que je pourrais encore améliorer ma lettre de motivation.*

a. D'après lui, tu corresponds bien au profil de l'annonce.

....

b. À leur avis, vous n'avez pas assez d'expérience.

....

c. Ma mère avait l'impression que je n'avais pas bien préparé mon entretien d'embauche.

....

d. En ce qui me concerne, je quitterai mon job sans hésiter.

....

e. Selon le recruteur, Emma était trop qualifiée pour ce poste !

....

f. À mon avis, tu devrais faire une formation.

....

g. D'après ses professeurs, faire un stage de six mois en entreprise est nécessaire.

....

[L'EXPRESSION DE L'OPINION (1)] p. 50

3 Les expressions suivantes suivent-elles le modèle A (pas de verbe d'opinion) ou le modèle B (verbe d'opinion nécessaire) ?

Exemple : *À mon avis, il doit changer de travail.* → modèle A
Quant à moi, je pense qu'il doit changer de travail. → modèle B

a. D'après moi, …   → modèle ....

b. Personnellement, …   → modèle ....

c. Pour moi, …   → modèle ....

d. Selon moi, …   → modèle ....

e. En ce qui me concerne, …   → modèle ....

[L'EXPRESSION DE L'OPINION (1)] `p. 50`

4 Écoutez le dialogue et relevez les verbes introduisant une opinion.

`cd`
`12`

....
....
....

[L'EXPRESSION DE L'OPINION (1)] `p. 50`

5 Que pensez-vous des opinions suivantes ?

Exemple : *C'est très facile de trouver un stage.* → Moi, je crois que c'est très difficile !

a. Ce n'est pas nécessaire de préparer un entretien d'embauche.

....

b. C'est difficile de trouver un bon travail.

....

c. Le travail ne rend pas heureux.

....

d. Travailler en famille est fantastique.

....

e. On est obligé de parler anglais pour réussir sa vie professionnelle.

....

[L'EXPRESSION DU BUT] `p. 54`

6 Transformez les phrases suivantes en utilisant *pour que / afin que* ou *pour / afin de*. Faites les changements nécessaires.

Exemple : *Parlez-lui. Il changera d'avis.* → *Parlez-lui pour qu'il change d'avis.*

a. Henri a allumé son portable. Il est joignable.

....

b. J'accepterai ce nouvel emploi. J'aurai une augmentation de salaire.

....

c. Il parle fort pendant la réunion. Tout le monde peut l'entendre.

....

d. Luc m'a prêté sa voiture. J'irai à mon rendez-vous professionnel plus facilement.

....

e. Il a fait une formation. Il a changé de travail.

....

f. Il a acheté un ordinateur portable à sa fille. Elle fera du télétravail.

....

g. Il me donne des conseils. Je vais réussir les tests de sélection.

....

h. Anissa prend un taxi. Elle ne sera pas en retard à son rendez-vous.

....

i. Elle lui a laissé sa carte de visite. Il sait où la joindre.

....

j. Julia doit bien préparer son entretien d'embauche. Elle pourra décrocher le job.

....

[L'EXPRESSION DU BUT] `p. 54`

7 Reliez les éléments pour former des phrases.

a. Omar doit se lever très tôt •

b. On crée un espace de coworking •

c. Chloé a créé un blog •

d. Cet employé travaille dur •

e. Olivier appelle sa collègue •

f. Elle éteint son portable •

g. Il travaille dans l'humanitaire •

• **1.** dans le but de ne pas être dérangée pendant la réunion.

• **2.** en vue d'obtenir une augmentation de salaire.

• **3.** afin de se sentir utile.

• **4.** de manière à travailler ensemble.

• **5.** pour présenter ses produits et services.

• **6.** de façon à ne pas manquer son rendez-vous.

• **7.** dans l'intention de lui parler de son projet.

[L'EXPRESSION DU BUT] `p. 54`

8 Terminez les phrases suivantes avec les expressions de but proposées : *pour que, en vue de, dans le but de, pour, afin que, de manière à, dans l'intention de, afin de, de façon à.*

a. Je travaille dans un espace de coworking ....

b. Il fait appel à une agence de recrutement ....

c. Elle met en avant ses compétences sur son CV ....

d. Zoé souhaite faire un stage dans cette entreprise ....

e. Il développe son réseau professionnel ....

f. Elle démissionne ....

g. Il travaille au noir ....

h. Il veut décrocher un CDI ....

i. Je vais prendre quelques jours de congé ....

 **Vocabulaire**

[CHERCHER DU TRAVAIL] p. 55

1 Barrez les intrus dans les phrases suivantes.

a. Paul est au chômage. Il va s'inscrire à (SOS emploi / Emploi service / Pôle emploi).

b. Cette entreprise se développe : elle (embauche / licencie / renvoie) des salariés.

c. Il arrive tous les jours en retard au travail. Il va se faire (licencier / démissionner / prospecter).

d. Éva est heureuse, elle vient (de raccrocher / d'accrocher / de décrocher) un petit job.

e. Envoyez-moi votre CV accompagné d'une lettre (d'amour / de motivation / de remerciement).

f. Elle lit régulièrement (les agences / les offres / les lettres) d'emploi.

g. Cet emploi m'intéresse. Je crois que je vais (postuler / recruter / reculer).

[PARLER DE SES COMPÉTENCES / QUALITÉS] p. 55

2 Lisez le profil de ces personnes et complétez avec les expressions suivantes :
avoir l'art du compromis, avoir l'esprit d'entreprise, avoir un point faible, avoir le sens des affaires, être autonome, être polyvalent, être un touche à tout, être un travailleur archarné.

Exemple : *Kim veut réussir professionnellement et gagner beaucoup d'argent d'ici cinq ans.*
→ Elle est ambitieuse.

a. Octave fait beaucoup d'heures supplémentaires, il ne quitte jamais son travail avant 20 h 30.

Il ....

b. Tamara sait prendre des décisions, des initiatives et régler les problèmes.

Elle ....

c. Christophe adore marchander. Il arrive toujours à faire baisser les prix.

Il ....

d. David prend des risques pour apporter de l'innovation dans sa compagnie. Il ne se décourage jamais face aux difficultés.

Il ....

e. En tant que secrétaire, Lise est chargée de l'accueil, de l'organisation des réunions, des contacts téléphoniques, des prises de rendez-vous...

Elle ....

f. Comme chef d'entreprise et dans sa famille, Elena doit négocier tous les jours. C'est parfois difficile mais il n'y a jamais de confrontations.

Elle ....

g. Léon a des connaissances dans de nombreux domaines mais cela reste assez superficiel.

Il ....

h. George est prêt à écraser ses collègues pour booster sa carrière.

Il ....

Compréhension orale

LE BONHEUR AU TRAVAIL

Écoutez et répondez aux questions. **cd 13**

1 De quel type d'enregistrement s'agit-il ?

....

....

2 Quel est le secteur d'activité de l'entreprise dont on parle ?

....

....

3 Tout est fait pour que les salariés s'épanouissent :

○ Vrai   ○ Faux

Justifiez votre réponse avec quatre exemples :

– ....

– ....

– ....

– ....

4 Pourquoi le premier employé interviewé apprécie-t-il ce mode de vie au travail ?

....

....

5 Quel type de plats trouve-t-on à la cafétéria ? Pourquoi est-ce agréable ?

....

....

6 Citez les trois adjectifs utilisés pour qualifier les espaces de travail et les bureaux.

....

7 Ce type d'organisation présente quels avantages selon la direction ?

....

....

8 Ce genre d'initiative est-il fréquent en France ? Justifiez votre réponse.

....

Production écrite

Vous consultez sur Internet un forum sur le télétravail et lisez le message posté ci-dessous. Vous répondez pour donner votre opinion sur le sujet (160 à 180 mots).

FORUM

| Rechercher 🔍 | 🖊 Posez votre question |

Ambiance plus détendue, plus de flexibilité… Mais est-on aussi productif quand on travaille à domicile ? Quels sont les atouts du télétravail ? J'ai consulté beaucoup de sites, mais rien ne remplace l'expérience. Alors, si vous pratiquez ou avez pratiqué, j'attends votre avis sur la question.

21 mars 2018

 **Préparation au DELF B1** **Compréhension de l'oral**

UN RYTHME DE VIE DÉCALÉ

Écoutez et répondez aux questions.   cd 14   8 points

1 Ce document :   1 point

○ informe sur les conditions de travail des travailleurs de nuit.

○ décrit les effets du travail en horaires décalés sur la vie des salariés.

○ explique pourquoi certains Français travaillent en dehors des horaires traditionnels.

2 Citez le nom de trois professions concernées par ce rythme de travail particulier.   1,5 point

....

....

....

3 Qu'est-ce que la « dette de sommeil » ?   1 point

○ l'effet cumulé de la fatigue dû au manque de sommeil

○ une maladie du sommeil

○ un besoin naturel de dormir

4 Un patron peu présent sur un lieu de travail offre quels avantages aux employés ?   2 points

....

....

5 Ce rythme de vie à contretemps permet :   1 point

○ de profiter de ses enfants toute la journée.

○ d'aller faire ses courses avec ses enfants.

○ de passer plus de temps avec ses enfants.

6 Quel est le secret pour rester en bonne santé ?   1,5 point

....

....

DATE LIMITE DE CONSOMMATION

Grammaire

[L'EXPRESSION DE L'OPINION (2)] p. 62

1 Entourez l'expression correcte dans les phrases suivantes.

a. Il pense qu'il (peut / puisse) faire bonne impression avec ce pull en laine.

b. Je doute que tu (aies / auras) chaud en hiver avec cette robe en coton.

c. Nous sommes persuadés que ce couturier (fasse / fera) une grande carrière.

d. Pensez-vous que la collection (sera / soit) prête pour le début du printemps ?

e. Il me semble que cette veste (ira / aille) avec ce pantalon.

f. Je (suis certaine / ne crois pas) que ma mère aimerait ce sac à main.

g. Il est (probable / possible) que la mode sera au rouge cet été.

h. Je (me doute / ne pense pas) que ce pantalon soit chic.

i. (J'ai l'impression / Je ne suis pas sûr) que tu vas devoir acheter de nouveaux vêtements pour la rentrée.

j. (Croyez-vous / Vous croyez) que les jupes longues sont encore à la mode cette année ?

[L'EXPRESSION DE L'OPINION (2)] p. 62

2 Reformulez les phrases avec les expressions entre parenthèses.

Exemple : Cette robe est parfaite pour le mariage de ma cousine. (Il me semble que)
 → *Il me semble que cette robe est parfaite pour le mariage de ma cousine.*

a. La directrice de l'école s'habille toujours avec élégance. (Je ne trouve pas que)

....

b. Ces chaussures doivent coûter très cher. (Je me doute que)

....

c. Il y a trop de boutiques de mode dans ma rue. (Je ne pense pas que)

....

d. Ce vendeur ne donne pas de très bons conseils vestimentaires. (Je pense que)

....

e. Ces vêtements seront toujours tendance l'année prochaine. (Je ne suis pas certain(e) que)

....

f. Les habits en matières synthétiques peuvent supporter beaucoup de lavages.
(Je ne suis pas persuadé(e) que)

....

g. Les magasins du centre-ville ouvrent le lundi. (Je ne crois pas que)

....

h. Mes parents veulent nous accompagner au défilé de mode. (Il est possible que)

....

i. La voisine me donne des conseils pour repriser mes vieux pantalons. (Il est probable que)

....

[L'EXPRESSION DE L'OPINION (2)] p. 62

3 **Selon vous, quels vêtements et accessoires sont adaptés aux situations suivantes ? Faites au moins 5 phrases avec des expressions du doute et de la certitude.**

club de gym – bureau – mariage – restaurant – magasin

Exemple : *Je ne pense pas que ce soit une bonne idée de porter des lunettes de soleil au bureau.*

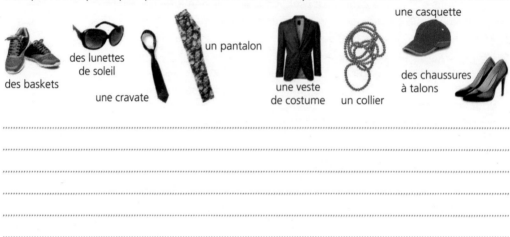

une casquette

des lunettes
de soleil

un pantalon

des baskets

une cravate

une veste
de costume   un collier

des chaussures
à talons

....

....

....

....

....

 Vocabulaire

[LA MODE ET LA CONSOMMATION] p. 64

1 **Reliez les contraires.**

a. tendance	•	• **1.** le cuir
b. la haute couture	•	• **2.** le créateur local
c. synthétique	•	• **3.** démodé
d. jeter	•	• **4.** acheter dans une boutique
e. le tissu végétal	•	• **5.** de seconde main
f. commander sur Internet	•	• **6.** biodégradable
g. la grande marque	•	• **7.** recycler
h. neuf / neuve	•	• **8.** le prêt-à-porter

[LES MATIÈRES] p. 64

2 Complétez les définitions avec les expressions suivantes : *soie, coton, cuir, vêtement biodégradable, tissu synthétique, écoresponsable/durable.*

a. Il est préparé à partir de la peau d'un animal pour fabriquer des sacs et des chaussures. C'est du ....

b. Fabriqué à partir de dérivés du pétrole, c'est du ....

c. Il respecte l'environnement ainsi que les travailleurs de la chaîne de production. C'est un vêtement ....

d. C'est la fibre végétale la plus produite dans le monde. C'est le ....

e. C'est une fibre d'origine animale qui provient d'un cocon de chenille. C'est la ....

f. Ce vêtement ne génère pas de déchets. Il disparaît en quelques mois quand il est jeté au compost. C'est un ....

[LA MODE ET LA CONSOMMATION] p. 64

3 Écoutez et dites de quoi parle chaque personne. cd 15

a. .... **d.** ....

b. .... **e.** ....

c. .... **f.** ....

Phonétique

[L'ENCHAÎNEMENT VOCALIQUE] p. 64

A Dictée phonétique. Écoutez l'enregistrement et écrivez les phrases. cd 16

a. ....

b. ....

c. ....

d. ....

e. ....

f. ....

g. ....

B Répétez les phrases. Combien d'enchaînements vocaliques contient chacune d'elles ?

a	b	c	d	e	f	g
....	....	....	....	....	....	....

Grammaire

[LE COMPARATIF ET LE SUPERLATIF] p. 67

1 Entourez l'expression correcte dans les phrases suivantes.

a. J'aime (autant / aussi) voyager en voiture qu'en train.

b. Les produits vendus en supermarchés sont (aussi / plus) bons que ceux du marché.

c. Le (mieux / meilleur), c'est d'aller au centre commercial.

d. Dans cette rue, tu trouveras les boutiques les (pires / moins) chères de la ville.

e. Mes parents consomment (plus / plus de) produits frais que moi.

f. Le (plus / mieux) pratique, c'est d'acheter sur Internet.

g. C'est le (pire / mieux) restaurant où j'ai mangé.

h. Ce sont les (meilleurs / mieux) sites pour acheter des chaussures.

i. Les Français vont (autant / aussi) dans les magasins bio que les autres Européens.

[LE COMPARATIF ET LE SUPERLATIF] p. 67

2 Complétez avec un comparatif ou un superlatif.

a. Un sac à main est ....*aussi*.......... pratique qu'un sac à dos.

b. En France, il y a ....*plus de*.......... coiffeurs que de boulangers.

c. Laetitia Casta est le mannequin français ....*le plus*.......... célèbre.

d. Les vêtements en coton sont ....*moins*.......... résistants que les vêtements en matières synthétiques.

e. Je m'habille beaucoup ....*pire*.......... depuis que je travaille dans une grande entreprise.

f. C'est ....*une meilleure*.......... tarte que j'ai mangée.

g. Pour un mariage, un pantalon peut être ....*aussi*.......... élégant qu'une robe.

h. Les Allemands achètent ....*plus*.......... vêtements de luxe que les Français.

[LE COMPARATIF ET LE SUPERLATIF] p. 67

3 Formez des phrases comme dans l'exemple.

Exemple : Mon ordinateur est performant. (ma tablette →)
        → Ma tablette est moins performante que mon ordinateur.

a. Steve est écoresponsable quand il fait ses achats. (Jean +)

Jean est plus écoresponsable quand il fait ses achats que Steve.

b. Tu as eu de la chance pendant les soldes. (Noémie —)

Noémie a eu moins de la chance que toi pendant les soldes.

c. Ton chapeau est joli. (mon chapeau =)

Mon chapeau est aussi joli que de Ton

d. Je vais souvent dans les boutiques de mode. (Martin +)

Martin vais plus souvent les boutiques de mode que moi

e. J'ai des pantalons. (des robes =)

J'ai autant de pantalon que des robes

f. C'est économique d'acheter sur Internet. (faire les soldes dans les magasins +)

C'est plus économique de faire les soldes dans les magasins que d'acheter sur internet.

g. J'ai du mal à me décider quand j'achète des chaussures. (Georges =)

Georges ai autant du mal à lui décider quand il achète des chaussures que moi.

[LE COMPARATIF ET LE SUPERLATIF] p. 67

4 **Comparez ces pulls et chaussures d'occasion en vente sur un site internet.**

Les pulls

| pull noir
presque jamais porté
100 % laine | pull à rayures
jamais porté
50 % coton / 50 % laine | polaire un peu usée
aux manches
100 % polyester | pull jacquard
en bon état
100 % cachemire |

Les chaussures

| bottines – taille 39 | baskets – taille 42 | santiags – taille 46 | tongs – taille 36 |

15 €   12 €   25 €   5 €

[LA PLACE DE L'ADJECTIF] p. 70

5 **Entourez l'adjectif correctement placé.**

a. Je fais mes courses dans une (petite) épicerie (petite).

b. Il porte une (belle) chemise (belle).

c. Elle s'est acheté une (rouge) robe (rouge).

d. J'ai vendu tous mes (anciens) vêtements (anciens).

e. Nous sommes venus avec notre (nouvelle) voiture (nouvelle).

f. La (dernière) fois (dernière) que j'ai reçu un cadeau, c'était pour mon anniversaire.

g. Tu veux venir avec moi faire les soldes (prochain) samedi (prochain) ?

[LA PLACE DE L'ADJECTIF] **p. 70**

6 Complétez les phrases avec *de* ou *des*.

a. J'ai vu .... très belles fleurs au marché.

b. J'ai acheté .... chaussures neuves.

c. J'ai choisi .... belles pommes pour faire une tarte.

d. Dans cette forêt, il y a .... arbres très anciens.

e. Ce styliste crée .... chapeaux élégants.

f. Grâce à Internet, on peut faire .... bonnes affaires.

g. Le vendeur m'a donné .... très bons conseils.

h. Dans cette librairie, on trouve .... livres d'occasion.

[LA PLACE DE L'ADJECTIF] **p. 70**

7 Associez les phrases équivalentes.

a. C'est une drôle d'histoire.
- ○ Cette histoire est bizarre.
- ○ C'est une histoire qui fait rire.

b. C'est un grand monument de la Révolution française.
- ○ Ce monument est célèbre.
- ○ Ce monument est très haut.

c. C'est une famille pauvre.
- ○ Cette famille a des difficultés financières.
- ○ Cette famille connaît le malheur.

d. Cet écrivain est un grand homme.
- ○ Cet écrivain mesure au moins 1,90 m.
- ○ Cet écrivain a publié une œuvre remarquable.

e. C'est un curieux personnage de roman.
- ○ C'est un personnage étrange.
- ○ C'est un personnage qui veut tout savoir sur tout.

f. C'est ma propre boutique.
- ○ Cette boutique est bien nettoyée.
- ○ Cette boutique m'appartient.

 **Vocabulaire**

[LA CONSOMMATION COLLABORATIVE] **p. 71**

1 Complétez le dialogue avec les expressions suivantes : *échange de services, grande distribution, rayons, locavore, consommateur, décroissance économique, petits commerçants, hypermarchés, gestes anti-conso, économie de partage, droguerie, consommation de masse.*

Marc : Tiens Jean-Pierre, comment vas-tu ?

Jean-Pierre : Bien et toi ?

Marc : Très bien, je vais faire des courses.

Jean-Pierre : Tu vas au supermarché ?

Marc : Oh non, je n'y vais plus du tout. J'ai décidé d'être un ....
responsable.

Jean-Pierre : Ça veut dire quoi ?

Marc : Eh bien, je fais mes courses chez les ....
Je fais aussi partie d'une coopérative de consommateurs.

Jean-Pierre : Mais tu trouves de tout dans cette coopérative ?

Marc : Eh bien tout ce dont j'ai besoin pour la nourriture. Et je vais dans une ....
pour les produits d'entretien.

Jean-Pierre : Et qu'est-ce que tu n'aimes pas dans la .... ?

Marc : Pour moi, c'est vraiment le symbole de la ....
Et puis c'est vraiment trop grand, dans les ...., il y a trop de ....,
je m'y perds. Maintenant, je fais mon possible pour acheter des produits bio et locaux.

Jean-Pierre : Ah tu es un .... alors !

Marc : Eh oui, pour être plus précis, je dirais que je suis devenu un militant de la
.... Et toi, tu n'as pas adopté de petits
.... ?

Jean-Pierre : Non, pas encore. Enfin, je suis inscrit sur une plateforme
d'.. . Je propose des cours d'informatique et en
échange, je suis des cours de yoga.

Marc : C'est super, ça. C'est de l'.. !

[LA CONSOMMATION COLLABORATIVE] **p. 71**

2 Reliez les éléments pour former des phrases.

a. Il n'y a rien dans le frigo, •

b. J'ai acheté des vêtements pendant
les soldes, •

c. Il y avait beaucoup de monde au
supermarché, •

d. J'ai fait les soldes au centre commercial, •

e. Pas de shopping ce mois-ci, •

• **1.** j'ai fait la queue pendant 20
minutes à la caisse.

• **2.** je suis complètement fauché.

• **3.** j'ai pu faire de bonnes affaires
dans plusieurs boutiques.

• **4.** je vais faire des courses.

• **5.** j'avais envie de faire des emplettes.

Compréhension écrite

Lisez le document et répondez aux questions.

Le DIY, plaisir de faire soi-même

Sur Internet, de nombreux tutoriels permettent d'aider l'utilisateur novice à réaliser toutes sortes de projets.

Voulez-vous tapisser votre mur, réparer votre cafetière ou fabriquer une lampe ? Il existe forcément pour cela des tutoriels. Blogs et chaînes YouTube recèlent de ces solutions pratiques illustrées, qui vous guident, étape par étape, dans votre projet. 85 % des Français en seraient désormais familiers*.

forcément = inévitable

Pour Hortense Sauvard, 34 ans, l'essor de ce phénomène estampillé DIY (pour *Do It Yourself*, c'est-à-dire « Fais-le toi-même ») s'appuie sur « le plaisir d'inventer et d'apprendre en faisant ». Enfant, cette ingénieure concevait ses bijoux et jouets. Cette année, elle a co-fondé Ouiaremakers.com, qui rassemble plus de 1 000 tutoriels : cuisine, mode et beauté, décoration, électronique...

Une dimension économique et écologique

Créé aussi en 2016, Wikifab.org témoigne de la dimension sociale du phénomène. Sur ce site, où 300 tutoriels sont classés par niveaux de difficulté et de budget, on partage ses créations, commente, propose des améliorations – entretenant une sorte d'intelligence collective.

Le succès du « Fais-le toi-même » comporte une dimension économique et écologique. « *J'éprouve une grande satisfaction à don-*ner une seconde vie aux objets », explique Anne, 29 ans, qui « *réfléchit avant de jeter ou d'acheter* ».

« *Le DIY introduit un rapport plus libre et heureux à l'objet* », analyse Céline Lebrun, designer auxerroise de 27 ans, qui a inventé des kits pour créer lampe, portemanteau et table basse à partir de matériaux de récupération. « *Aujourd'hui, on peut acheter et se faire livrer instantanément ; fabriquer soi-même requiert de la patience, on s'approprie l'objet, que l'on préférera adapter plutôt que jeter. Il nous correspondra bien mieux qu'un produit fini vendu à renfort de publicités* » – souvent pour un prix moindre. Céline Duhamel, 30 ans, propose ainsi chaque mercredi à ses trois enfants de créer ensemble « quelque chose qui leur plaît ».

Adrien Bail, la-croix.com, 02/01/2017

*Observatoire Société et Consommation (2015)

1 À quoi servent les tutoriels sur Internet ?

....

2 Sur les blogs et les chaînes Youtube, les tutoriels donnent des explications :
O très détaillées.
O générales.
O pas toujours exactes.

3 85% des Français :
O fabriquent des tutoriels.
O utilisent des tutoriels.
O ont entendu parler des tutoriels.

4 D'après Hortense Sauvard, le phénomène DIY permet de prendre du plaisir car (plusieurs réponses possibles) :
O on entre dans une communauté d'utilisateurs.
O on peut créer quelque chose.
O on acquiert de nouvelles compétences.
O on découvre une nouvelle manière de consommer.

5 Sur Wikifab.org, les tutoriels sont organisés selon (plusieurs réponses possibles) :
O le degré de facilité.
O la thématique.
O le coût de réalisation du projet.
O le prix à payer pour visionner la vidéo.

6 Ce site montre la dimension sociale du phénomène, en effet, on peut (plusieurs réponses possibles) :
O participer aux tutoriels.
O montrer ce qu'on a réalisé.
O partager son opinion sur les tutoriels et les créations.
O faire des rencontres.
O donner des idées pour perfectionner les tutoriels et les créations.
O proposer de nouvelles idées de tutoriels.

7 Qu'est-ce qui apporte beaucoup de plaisir à Anne dans le DIY ?

....

8 Quels sont les avantages d'un objet fait soi-même par rapport à un objet acheté dans le commerce d'après Céline Lebrun (plusieurs réponses possibles) ?
O Il rend fier de lui celui qui l'a fabriqué.
O Il est vraiment personnalisé.
O Il est plus rapide à faire qu'à acheter.
O Il est unique.
O Il est plus adapté à celui qui l'a fabriqué.

Détente

MOTS CROISÉS

Lisez les définitions et complétez la grille.

Horizontal

1 Consommateur qui achète des produits écologiques et durables

2 Elle peut être bancaire, de crédit ou de fidélité

3 Situation économique marquée par une baisse de la consommation et le chômage

4 Pièces de métal qui servent à payer

5 Échanger

6 Étui pliant qu'on porte sur soi et où on range son argent, ses papiers, etc.

Vertical

a Petit chariot en libre-service dans une grande surface

b Magasin dans lequel on trouve du matériel de couture

c Type de financement qui fait appel à un grand nombre de personnes pour subventionner un projet

d Liquide quand on parle de paiement

e Personne qui pratique un métier manuel à son compte

f Fric ou thune

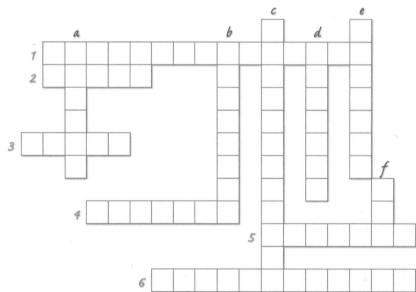

LE FRANÇAIS DANS LE MONDE

Grammaire

[LE PLUS-QUE-PARFAIT] p. 78

1 Écoutez et dites ce que vous entendez. cd 17

	a	b	c	d	e	f	g	h	i	j
Passé composé										
Plus-que-parfait										

[LE PLUS-QUE-PARFAIT] p. 78

2 Conjuguez les verbes entre parenthèses au plus-que-parfait (attention aux accords du participe passé).

a. Quand il est arrivé dans la classe, nous .... déjà .... (partir).

b. Tu as encore cherché les lunettes que tu .... déjà .... (perdre) ?

c. J'ai commandé le livre d'Erik Orsenna qu'un ami m'........................ (montrer).

d. Pendant le voyage ils ne se parlaient plus car ils .... (se fâcher) la veille du départ.

e. J'ai choisi de visiter le Québec parce que mes parents .... (se rencontrer) là-bas.

f. Nous avons revu l'institutrice qui .... (travailler) dans notre école il y a une dizaine d'années.

g. Personne ne prenait au sérieux ce qu'il disait car il .... déjà .... (se tromper) plusieurs fois.

[LE PLUS-QUE-PARFAIT] p. 78

3 Expliquez ce qui s'était passé avant ces événements. Utilisez le plus-que-parfait.

a. Retard → Tu n'es pas venu au cours car le réveil n'avait pas sonné et ....

....

b. Voyage → Nous avons fait un bon voyage car ....

....

c. Protestation → Les gens ont manifesté leur mécontentement car ....

....

d. Spectacle annulé → Le spectacle de Fellag a été annulé car ....

....

e. Succès → Le nouveau roman de cet auteur s'est bien vendu car ....

....

f. Examen d'admission réussi → Il a réussi à entrer dans cette université car ....

....

g. Choix de langue étrangère → J'ai choisi d'apprendre le français car ....

....

 Vocabulaire

[LA PROTESTATION] **p. 79**

1 Complétez cet article avec les mots suivants : *provoquée, mécontentement, protestent, grève, menacent, manifesterons, revendiquent, ennemis.*

LES ENSEIGNANTS MÉCONTENTS

Une .... générale des professeurs de français a été

annoncée aujourd'hui par tous les médias. Cette décision des enseignants est

.... par le projet de réforme visant à supprimer tous

les accents de l'orthographe française. Les professeurs ....

vivement et .... le droit d'enseigner l'orthographe classique.

« Les .... des accents .... la

tradition, affirment-ils. Nous .... jusqu'à ce que notre

.... soit entendu ! »

[LES ATTITUDES / LES APPRÉCIATIONS] **p. 79**

2 Reliez les expressions à leurs définitions.

a. Ne pas lâcher une personne des yeux •   • **1.** Détourner les yeux

b. Estimer comme important •   • **2.** Courir le risque

c. Éviter de regarder •   • **3.** Suivre du regard

d. S'aventurer, tenter sa chance •   • **4.** Perdre son éclat

e. Se décolorer •   • **5.** Prendre au sérieux

[LES APPRÉCIATIONS] p. 79

3 Complétez la grille.

Horizontal
1. Perturbant
2. Apprécier qqn, respecter

Vertical
a. Fantastique, excellent
b. Désorienté
c. Adapté, logique
d. Qui est ouvert, sociable
e. Qui a perdu son éclat
f. Qui se remarque par une attitude digne

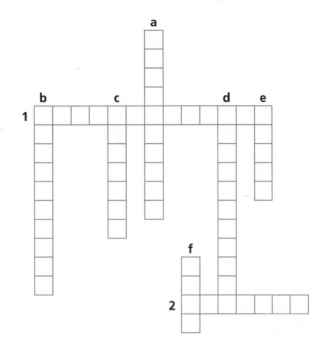

 Phonétique

[LES LIAISONS FACULTATIVES] p. 79

1 Écoutez l'enregistrement et dites si vous entendez une liaison avec « pas ». cd 18

	a	b	c	d	e	f	g	h
Liaison								
Pas de liaison								

2 Voici un rébus qui contient une liaison facultative. Trouvez la phrase, écrivez-la et notez la liaison.

Grammaire

[LES PRONOMS *EN*, *Y* ET LA DOUBLE PRONOMINALISATION]   **p. 82**

1 Répondez aux questions en utilisant deux pronoms.

a. – Tu t'intéresses à l'histoire de la langue française ?

– Oui, je ....

b. – Vous vous servez souvent de ce dictionnaire ?

– Oui, nous ....

c. – Emmenez-vous vos amis au musée d'Orsay ?

– Oui, nous ....

d. Il s'est occupé de réserver les billets d'avion ?

– Oui, il ....

e. – Les habitants de cette île se sont-ils habitués aux dangers de la nature ?

– Oui, ils ....

f. – Je t'ai parlé du dernier spectacle des *Franglaises* ?

– Oui, tu ....

g. – C'est vrai que vous vous installez au Canada ?

– Oui, nous .... bientôt !

[LES PRONOMS *EN*, *Y* ET LA DOUBLE PRONOMINALISATION]   **p. 82**

2 Lisez ce témoignage de spectateur et soulignez les répétitions. Récrivez les phrases qui présentent ces répétitions à l'aide des pronoms *en* et *y*.

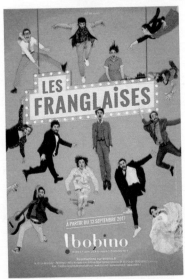

Un ami m'a dit qu'en ce moment à Bobino il y avait un formidable spectacle, *Les Franglaises*. Je me suis rendu aux *Franglaises* à Bobino ce week-end sans vraiment savoir de quoi il s'agissait. Le principe des *Franglaises* est simple : traduire mot à mot en français le texte des grandes chansons pop du répertoire anglo-saxon. Cette traduction, parfois absurde, a un effet humoristique. Je ne m'attendais pas du tout à cet effet humoristique. Moi qui pensais assister à un concert sérieux, j'ai vite compris mon erreur ! Je me suis rendu compte de mon erreur dès le premier tube – une célèbre chanson de Michael Jackson. Les paroles de la célèbre chanson de Michael Jackson étaient bizarres. Quand je me suis aperçu des paroles bizarres de la célèbre chanson de Michael Jackson, je ne savais pas si je devais rigoler ou pleurer. À vrai dire, cet effet comique est très surprenant. Je n'étais pas préparé à cet effet comique. Mais tout le public riait de bon cœur. Alors, moi aussi, je me suis mis à rire de bon cœur ! Le lendemain mon ami a téléphoné pour poser des questions sur le spectacle. J'ai parlé à mon ami du spectacle pendant au moins une heure.

....

....

....

....

....

....

....

....

....

....

....

....

....

[LES PRONOMS *EN, Y* ET LA DOUBLE PRONOMINALISATION] p. 82

cd 19

3 Écoutez et répondez aux questions en utilisant l'impératif à la forme négative.

Exemple : – *Tu veux que je t'achète des stylos ?*
             – *Non, ne m'en achète pas !*

a. Non, ... !

b. Non, ... !

c. Non, ... !

d. Non, ... !

e. Non, ... !

[LES INDICATEURS DE TEMPS (2)] p. 86

4 Soulignez l'indicateur temporel qui convient dans les phrases suivantes.

a. Il a vécu en Louisiane (avant de / avant que) venir en France.

b. C'est facile (chaque fois que / une fois que) tu sais comment faire.

c. Nous admirons Saint-Exupéry (depuis que / pendant que) nous avons lu *Le Petit Prince*.

d. Le professeur a répété l'exercice plusieurs fois (jusqu'à ce que / après que) l'étudiant comprenne la règle.

e. (Après / Après que) le festival de chanson française, les jeunes ont commencé à se mobiliser pour la francophonie.

f. Confirme-moi ta participation (une fois que / avant que) je réponde par mail.

g. Le public a applaudi chaudement (pendant qu' / après qu') il a lu ses poèmes.

h. C'est (la première fois que / une fois que) le livre de cet écrivain était traduit en français.

i. Nous partirons des Caraïbes (jusqu'à ce que / avant) l'arrivée de la saison des pluies.

j. Il a participé au concours d'écriture (après / avant) avoir vu l'annonce.

[LES INDICATEURS DE TEMPS (2)] p. 86

5 Complétez les phrases suivantes avec *avant de (d')* ou *après*.

a. .... lire Saint-Exupéry en français, il faut apprendre cette langue.

b. .... avoir entendu Thomas Pesquet, je voudrais participer au concours d'écriture.

c. Nous avons travaillé dur pour nous intégrer .... notre arrivée dans ce pays.

d. Nous sommes fiers du résultat .... plusieurs mois de cours.

e. .... commencer à apprendre le français, j'ai étudié le chinois.

f. Elle ne comprenait pas la langue .... prendre quelques cours.

g. Je reste optimiste .... avoir vu ce documentaire sur la francophonie.

h. .... devenir adulte je rêvais de voyager dans l'espace.

i. Tu veux un bon conseil ? Voyage pour découvrir le monde .... avoir les tempes grises.

[LES INDICATEURS DE TEMPS (2)] p. 86

6 Répondez au mail de Florence et donnez-lui quelques conseils en utilisant les indicateurs de temps suivants : *avant de, jusqu'à ce que, une fois que, chaque fois que, la première fois que, pendant que, après que.*

	À...	joe.feld@gmail.com
Envoyer	Cc...	
	Objet :	besoin d'aide

Salut Joe,

Ça y est, je me suis décidée, je vais commencer les cours de chinois. J'ai envie d'apprendre mais je t'avoue que j'ai un peu peur. Li, ma copine, dit qu'il n'y a pas d'inquiétude à avoir, mais je ne la crois pas, c'est quand même une langue bien difficile. Qu'en dis-tu, toi qui as fait 5 ans de chinois ?

Ce serait formidable si tu me donnais quelques conseils pour mieux m'organiser. Y a-t-il des trucs à faire avant le début des cours ? Et puis comment profiter au mieux des leçons ? Ah ! une dernière question : c'est vrai qu'il faut se concentrer surtout sur la grammaire ?

Merci d'avance !
Florence

....

....

....

....

....

....

....

....

A à z Vocabulaire

[LA DIVERSITÉ] **p. 87**

1 Associez les expressions.

a. une étudiante •	• **1.** notre patrimoine
b. rendre •	• **2.** plusieurs critères pour le classement final
c. le bien-être •	• **3.** francophone
d. le comportement •	• **4.** durable
e. retenir •	• **5.** luxuriante
f. protéger •	• **6.** hommage
g. la nature •	• **7.** solidaire

[LA DIVERSITÉ] **p. 87**

2 Complétez le texte avec les mots suivants : *réciproque, respecte, communautés, fasciné, humble, interprète, préjugés, barrière de la langue, grises, mystérieux, couramment, harmonieux.*

Malgré mes tempes .... , je suis toujours curieux d'apprendre de

nouvelles choses. Il faut rester .... et reconnaître que personne ne peut

tout savoir, avoir toutes les réponses. Le monde qui nous entoure restera toujours un peu

.... Moi, je suis .... par sa diversité : les pays et

les .... qui y habitent et leurs traditions.

Je voyage beaucoup car je suis .... de métier, je parle

.... 5 langues. Je pense que c'est le meilleur métier du monde :

pas de .... pour moi, pas de problème de

communication. Et puis, je travaille pour casser les .... Et quand

les gens auront une confiance .... on arrêtera de se faire la guerre ! Construire

un monde plus .... est un vrai défi. Je .... énormément

tous ceux qui s'y emploient.

Compréhension orale

LE FRANÇAIS DE NOS RÉGIONS

Écoutez et répondez aux questions. cd 20

1 Louise Ekland parle :

O des difficultés à comprendre le français.
O des traductions de différents mots en français.
O des différences régionales entre les mots.

2 Qui est Mathieu Avanzi ?

....

3 Quel est le premier exemple donné par Louise Ekland ?

....

4 Pour montrer son travail, Mathieu Avanzi :

O écrit des articles.
O fait des cartes de France.
O ni l'un, ni l'autre.

5 Quelles sont les autres appellations pour une serpillère (plusieurs réponses possibles) ?

O un torchon
O une wassingue
O une serviette
O une patte
O une pièce

6 Le mari de Louise Ekland est :

O belge.
O anglais.
O français.

 **Préparation au DELF B1**   # Compréhension des écrits

Membre du jury d'un concours d'écriture organisé dans votre école, vous êtes chargé(e) de choisir le gagnant parmi 4 textes finalistes.

Le texte gagnant de 800-1000 mots doit être écrit en français par un(e) seul(e) auteur(e) et raconter une histoire de rencontre, avec une célébrité, qui ne se passe pas en France.

Lisez la présentation des textes puis répondez aux questions en cochant la bonne réponse ☑ et en écrivant l'information demandée.

Texte 1

Un après-midi ensoleillé

Rien n'annonçait l'immense surprise que Juliette, jeune Parisienne de 24 ans, a vécu ce jour-là. Sortie de chez elle, elle tombe nez à nez avec Jean Dujardin, l'acteur le plus doué de sa génération. Perdu dans le quartier, il ne retrouve plus son chemin. Un peu intimidée, Juliette propose son aide et accompagne l'acteur jusqu'à sa destination. En chemin, une conversation amusante s'engage entre les deux.

→ Texte en français de 1200 mots par Jonathan S.

Texte 2

La patronne

Francis, un jeune homme célibataire, célèbre dans un bar lyonnais son engagement pour le poste de responsable marketing dans une nouvelle société. Il y rencontre une femme mystérieuse qui lui plaît énormément. Francis engage la conversation, mais soudain la femme disparaît. Le lendemain matin, il réalise qu'il s'agit de sa nouvelle patronne qui fait semblant de ne pas le reconnaître.

→ Texte en français de 950 mots co-écrit par Nathalie R. et Sophie J.

Texte 3

Là-bas, dans le froid…

Les difficultés de traduction n'ont jamais fait peur au jeune Conrad Sutto. Son métier d'interprète est pour lui une occasion de voyager dans le monde entier. C'est au détour d'un de ces voyages que Conrad fait la connaissance de Mike Horn, le grand explorateur et aventurier. Engagé pour lui servir d'interprète, le jeune homme se retrouve au Grand Nord dans une expédition passionnante et dangereuse.

→ Texte en français et en anglais de 1000 mots par Simon M.

Texte 4

Seulement un verre d'eau

Vers la fin de la journée le soleil tape toujours assez fort dans le sud de l'Espagne.

Paloma entend sonner à sa porte. En ouvrant, elle croit rêver car voici que Rafael Nadal en personne se présente devant elle et lui demande un verre d'eau. « Je meurs de soif », a le temps de dire le célèbre joueur de tennis avant de perdre connaissance.

Folle d'inquiétude, Paloma appelle une ambulance.

➜ Texte en français de 980 mots par Louisa F.

10 points *(0,5 point par réponse correcte et 1 point retiré si la réponse au nom du gagnant n'est pas logique par rapport aux cases cochées).*

	Un après-midi ensoleillé		La patronne		Là-bas, dans le froid...		Seulement un verre d'eau	
	Oui	Non	Oui	Non	Oui	Non	Oui	Non
Longueur								
Langue								
Auteur(e)								
Personnage célèbre								
Lieu de rencontre								

Le gagnant est : ....

MÉDIAS EN MASSE

Grammaire

[LA NOMINALISATION DE LA PHRASE VERBALE] p. 94

1 Retrouvez l'infinitif du verbe puis le nom correspondant.

Exemple : *Les médias <u>ont réduit</u> leurs coûts de fonctionnement.* → *réduire : la réduction*

a. Presque tous les journaux développent des éditions numériques.

→ ....

b. *Le Monde* diffuse des contenus de qualité.

→ ....

c. Le Président décollera demain pour Tokyo.

→ ....

d. J'ai téléchargé l'application de *Libération* sur ma tablette.

→ ....

e. La presse se réorganise à l'ère du numérique.

→ ....

f. Les réseaux sociaux ont transformé la relation de l'internaute à l'information.

→ ....

g. On a réuni les journalistes pour une conférence de presse.

→ ....

[LA NOMINALISATION DE LA PHRASE VERBALE] p. 94

2 Faites une seule phrase en opérant une nominalisation sur l'adjectif.

Exemple : *Ce journaliste est <u>malhonnête</u>. Je ne supporte pas.*
→ *Je ne supporte pas <u>la malhonnêteté</u> de ce journaliste.*

a. L'édition numérique de *La Presse* est gratuite. Les lecteurs apprécient cela.

....

b. Cet internaute est méchant. Cela est insupportable.

....

c. La directrice de ce journal est calme. Cela est appréciable.

....

d. Ce reporter est très curieux. Cela me dérange.

....

e. Cet éditorial est violent. Les lecteurs ne vont pas apprécier.

....

f. Nous sommes surinformés. Cela m'angoisse.

....

g. Cette interview est étrange. Je ne comprends pas.

....

[LA NOMINALISATION DE LA PHRASE VERBALE] p. 94

3 Donnez un titre à ces photos.

....

....

(Aâz) Vocabulaire

[LES GENRES JOURNALISTIQUES] p. 95

1 Écoutez la première minute de ces cinq genres journalistiques et précisez
s'il s'agit de : *une revue de presse, un reportage, un compte rendu sportif,*
un entretien, un portrait, une interview, une chronique, une critique, une dépêche.

cd 21

a. ....   **d.** ....

b. ....   **e.** ....

c. ....

[L'INFOBÉSITE] p. 95

2 Complétez l'article avec les mots suivants : *les réseaux sociaux, digérer, un flot continu, les canaux d'information, surinformation, être submergé par, les chaînes d'information, hyperconnectée.*

ENVAHIS PAR L'INFORMATION ?

Avec le développement d'Internet, ... se sont multipliés. Ils se sont ajoutés aux autres moyens d'information traditionnels que sont la presse écrite, la radio et la télévision.

L'infobésité est un néologisme qui vient du Québec et qui résume assez bien une situation que la plupart des personnes connectées vivent chaque jour. Un sentiment d'... l'information, de recevoir... d'e-mails, de SMS, d'appels, de notifications sur son ordinateur et sur son smartphone.

Il faudrait s'interroger sur la manière de gérer cette nouvelle réalité et donc sur notre façon de vivre dans une société .... En effet, cela modifie notre rapport à l'information car cette .... nous donne de véritables indigestions ! L'information est devenue trop rapide, on a du mal à la ...., la traiter, la comprendre et la mettre en perspective.

Twitter et .... en continu favorisent un traitement très superficiel de l'information. 60 % des internautes relayent sur .... des articles qu'ils n'ont même pas lus.

Que faire ? Apprendre à déconnecter ! Pourquoi ne pas commencer à l'occasion de vacances ?

Phonétique

[L'ÉLISION] p. 95

Dictée phonétique. Écoutez l'enregistrement et écrivez les phrases. cd 22

a. ....

b. ....

c. ....

d. ....

e. ....

f. ....

g. ....

h. ....

Grammaire

[LE PASSIF] p. 98

1 Transformez les phrases à la forme passive ou à la forme active.

a. Cet article a été écrit par Simone Fontaine.

....

b. L'édition papier sera remplacée par une édition numérique.

....

c. Ce magazine publie de nombreux faits divers.

....

d. Ce journaliste réalisera une enquête sur les habitudes alimentaires des Français.

....

e. Un portrait de Marina Foïs a été publié dans *Libé*.

....

f. On a mis en couverture la photo du président.

....

g. Le témoin va être interrogé par le juge.

....

h. On a diffusé cette information à la radio ce matin.

....

i. Un piéton s'est fait renverser par un cycliste.

....

[LE PASSIF] p. 98

2 Récrivez ces faits divers à la forme passive.

Le top 5 des faits divers animaliers de Paris

- Un promeneur **a vu** sous le pont des Arts une tortue géante nageant tranquillement dans la Seine.
- Un touriste **a repéré** un python royal de 1,30 m sur la branche d'un arbre du jardin du Luxembourg. On **a** également **retrouvé** deux autres pythons dans un square du Quartier latin cet été !

- Plus modeste, on **a attrapé** un caméléon vivant dans une poubelle de la station de métro Saint-Michel.
- Tout aussi surprenant, 23 chats **ont attaqué** des pompiers qui intervenaient dans l'appartement d'une dame âgée.
- Enfin, des chiens dangereux **ont blessé**, **griffé** et **mordu** une policière à la gare du Nord.

Une tortue géante nageant tranquillement dans la Seine ....

....

....

....

....

....

....

....

....

[LES ADVERBES DE MANIÈRE EN -*MENT*] p. 102

3 Formez un adverbe à partir des adjectifs suivants.

a. affectueux : ....

b. parfait : ....

c. amical : ....

d. apparent : ....

e. certain : ....

f. public : ....

g. confidentiel : ....

h. frais : ....

i. franc : ....

j. premier : ....

k. troisième : ....

l. joyeux : ....

m. différent : ....

n. réel : ....

[LES ADVERBES DE MANIÈRE EN -*MENT*] p. 102

4 Complétez les phrases avec un adverbe comme dans l'exemple.

Exemple : *Il est patient.* → *Il a attendu son tour _patiemment_.*

a. Ses confidences sont rares. Il se confie ....

b. L'accès aux contenus de ce site est gratuit. Vous pouvez y accéder ....

c. Votre travail n'est pas suffisant. Vous ne travaillez pas ....

d. Cette reporter mène une vie intense. Elle vit ....

e. Leurs réponses à cette interview sont sérieuses. Ils ont répondu ....

f. La rédactrice en chef est encore énervée, c'est fréquent. Elle s'énerve ....

g. L'évasion du prisonnier reste mystérieuse. Il a disparu ....

h. Il lit la presse d'un air attentif. Il lit ....

i. Ce journaliste est passionné. Il fait son métier ....

j. C'est une situation courante. Cela arrive ....

[LES ADVERBES DE MANIÈRE EN -*MENT*] p. 102

5 Dites le contraire !

a. difficilement ≠ ....

d. silencieusement ≠ ....

b. brièvement ≠ ....

e. heureusement ≠ ....

c. méchamment ≠ ....

f. positivement ≠ ....

 Vocabulaire

[TYPE DE PRESSE ET FRÉQUENCE] p. 103

1 Observez les unes suivantes et dites de quel type de presse il s'agit.

a. ....

b. ....

c. ....

d. ....

e. ....

f. ....

g. ....

h. ....

[LE TRAVAIL DE JOURNALISTE] p. 103

2 Complétez cette fiche métier avec les expressions suivantes : *sources, relayer des informations, témoignages, accrocheurs, attiser, vérifier, faire la une, protagonistes.*

DÉFINITION

Professionnel de l'information et spécialiste de l'écriture, le journaliste cherche des sujets, interroge des ...., recueille des .... et des informations. Il doit ensuite les .... , les trier puis il peut commencer à rédiger. Qu'il soit chroniqueur, éditorialiste, reporter ou rédacteur en chef, son rôle est avant tout de .... à destination d'un public choisi.

Chaque journaliste commence sa journée en prenant connaissance de l'actualité dans le but de définir les informations qui vont ....

Avant de rédiger son article (ou son intervention radio ou télévisée), le journaliste recoupe les .... ainsi que la fiabilité des informations recueillies.

Lors de la rédaction, il doit réussir à .... la curiosité du lecteur rapidement. Souvent, il trouvera des titres ....

[RAPPORTER UNE INFRACTION] p. 103

3 Écoutez le dialogue entre une victime d'une infraction et un policier, puis remplissez le formulaire.

FORMULAIRE DE DÉPÔT DE PLAINTE

Nom : Mme/M. .... Prénom : ....

Nature de l'infraction : ....

Date de l'infraction : ....

Lieu de l'infraction : ....

Résumé des faits : ....

....

....

....

....

Signalement du malfaiteur : ....

....

....

....

....

....

Fait à ...., le .... Signature :

Compréhension écrite

Lisez le document et répondez aux questions.

L'enjeu des nouvelles pratiques informationnelles

Plus de 70 % des Français sont hyperconnectés du soir au matin

Un dernier passage en revue des fils d'actualité Facebook et Twitter avant de se coucher, une actualisation des mails dès la première gorgée de café. Avant de partir travailler, panique à bord : où est passé le chargeur du smartphone ? Cette petite description n'est pas si caricaturale lorsque l'on sait que 78 % de Français se connectent à Internet avant de s'endormir et que 75 % se reconnectent aussitôt réveillés. Comment, dès lors, raisonner les enfants qui, de 1 à 6 ans, passent en moyenne 4 heures 10 minutes par semaine sur le Web, sans parler des 13-19 ans qui dépassent les 14 heures[1] ?

Réseaux sociaux et bulles informationnelles

L'explosion des pratiques numériques a profondément modifié le rapport et l'accès à l'information. 85,2 % des collégiens ont un téléphone portable dans leur chambre. Aujourd'hui, les jeunes s'informent majoritairement via les réseaux sociaux. 92 % des 15-17 ans ont un profil Facebook, 42 % des 13-19 ans utilisent Snapchat[2]. Exposés à un flux permanent, via de multiples canaux et sur divers supports – le téléphone mobile représenterait 26 % de la consommation média en 2019[3] –, l'infobésité complique l'apprentissage du tri entre info et intox. [...]

Des jeunes en quête de repères, dans un contexte de défiance vis-à-vis des médias traditionnels

Loin du mythe des *digitals natives*[4], qui seraient naturellement compétents pour utiliser les nouvelles technologies, les jeunes ont en réalité besoin de toute la communauté éducative pour les aider à construire leurs repères médiatiques, une identité numérique maîtrisée et à développer leur esprit critique. Dans un contexte où la défiance vis-à-vis des médias traditionnels n'a jamais été aussi forte et où les théories du complot rencontrent un succès sans précédent dès l'école primaire, la question de l'évaluation des sources de l'information constitue une priorité éducative majeure pour lutter contre la manipulation et la désinformation.

L'éducation aux médias et à l'information : l'affaire de tous

Une enquête de terrain, menée par le CLEMI en octobre et novembre 2016, a révélé une attente extrêmement forte de la part des parents en terme d'accompagnement puisque 78 % des parents sondés souhaitent des cours d'éducation aux médias en classe pour leurs enfants et 83 % d'entre eux réclament aux organismes publics une sensibilisation aux dangers d'Internet. [...]

Virginie Sassoon, *Médias et information, on apprend !*, CLEMI, brochure 2017-2018

1. Chiffres cités dans « Familles connectées », *Réalités familiales*, Unaf, n° 114-115, 2016.
2. Ibidem.
3. Rapport Media Consumption Forecasts publié par Zenith (Publicis Media) : offremedia.com.
4. Expression popularisée par le chercheur Marc Prensky. Un *digital native* (enfant du numérique) est une personne qui a grandi dans un environnement numérique.

1 **Choisissez une phrase pour résumer cet article :**

O Les jeunes Français et leur usage des réseaux sociaux.
O L'éducation aux médias et à l'information : une priorité dans une société ultra connectée.
O Conseils pratiques pour protéger les enfants des contenus dangereux sur Internet.

2 **Quels comportements addictifs les Français hyperconnectés ont-ils développés ?**

....

....

3 **Le développement d'Internet a transformé notre manière de nous informer :**

O Vrai   O Faux

Justifiez votre réponse : ....

....

4 **Les jeunes s'informent principalement via les médias traditionnels :**

O Vrai   O Faux

Justifiez votre réponse : ....

5 **Il est difficile de distinguer les vraies informations des fausses informations en raison :**

O de la masse toujours plus importante d'informations présentes sur le Web.
O du manque d'informations sur Internet.

6 **La théorie du complot, les fausses informations sont surtout populaires auprès de quelles personnes ?**

....

7 **Pourquoi est-ce important de vérifier les sources de l'information ?**

....

8 **L'éducation aux médias permet aux élèves (plusieurs réponses possibles) :**

O d'apprendre à créer un site internet.
O de construire leurs repères médiatiques.
O de gérer leur identité numérique.
O de sélectionner des contenus pour faire un exposé.
O d'avoir un usage critique des médias.
O de contrôler leurs parents.

9 **Peu de parents veulent que l'école organise des actions éducatives.**

O Vrai   O Faux

Justifiez votre réponse : ....

 **Détente**

INFO OU INTOX ?

Lisez les phrases et cochez la bonne réponse.

 Cette journaliste a bonne presse.

○ Elle est très bien informée.

○ Elle a une bonne réputation.

 La famille royale est encore à la une de *Gala*.

○ Elle fait la couverture du magazine *Gala*.

○ *Gala* publie des photos inédites de la famille royale.

 Les carottes sont cuites pour Zoé.

○ Zoé a enfin un scoop à révéler.

○ La situation est sans espoir pour Zoé.

 Cet artiste fait le buzz sur les réseaux sociaux.

○ On se moque de lui sur les réseaux sociaux.

○ Il fait parler de lui sur les réseaux sociaux.

 Les journaux gratuits que l'on trouve dans le métro ont la cote.

○ Ils sont populaires.

○ Ils vont devenir payants.

 Les opinions politiques d'Abdel et Julie sont aux antipodes.

○ Ils partagent les mêmes opinions.

○ Leurs opinions sont à l'opposé.

 Ce chanteur a défrayé la chronique en se mariant pour la huitième fois.

○ Il publie les chroniques de ses mariages successifs dans la presse.

○ Il est le sujet de toutes les discussions.

ET SI ON PARTAIT ?

Grammaire

[L'EXPRESSION DU FUTUR] p. 110

1 Complétez en conjuguant les verbes au futur simple.

a. elles (payer) : p _ _ _ _ _ _ _

b. il (geler) : g _ _ _ _ _

c. vous (rappeler) : r _ _ _ _ _ _ _ _ _ _

d. j' (amener) : a _ _ _ _ _ _ _

e. tu (employer) : e _ _ _ _ _ _ _ _ _

f. ils (acheter) : a _ _ _ _ _ _ _ _

g. elle (envoyer) : e _ _ _ _ _ _

h. nous (nettoyer) : n _ _ _ _ _ _ _ _ _ _

[L'EXPRESSION DU FUTUR] p. 110

2 Écoutez et remplacez le futur proche par le futur simple.

cd 24

Exemple : *On va habiter en Belgique.* → *On habitera en Belgique.*

a. ....

b. ....

c. ....

d ....

e. ....

f. ....

g. ....

[L'EXPRESSION DU FUTUR] p. 110

3 Conjuguez les verbes au futur simple et dites quel temps il fera dans chaque ville.

a. Il y (a) .... des éclaircies timides à ....

b. Il (neige) .... légèrement à ....

c. Il (pleut) .... à ....

d. Il y (a) .... des orages à ....

e. Le vent (souffle) .... à ....

f. Le temps (est) .... ensoleillé à ....

g. Le ciel (reste) .... couvert à ....

LILLE

PARIS

BREST

BORDEAUX

LYON

MARSEILLE

BASTIA

[L'EXPRESSION DU FUTUR] **p. 110**

4 **Conjuguez les verbes aux temps qui conviennent (présent, futur proche, futur simple).**

a. Dépêche-toi, ils (ne pas tarder) .... à arriver.

b. Il (faire) .... beau depuis une semaine.

c. On sonne à la porte, je (voir) .... qui c'est.

d. Je suis fatiguée, je (me coucher) ....

e. Il (arriver) .... ce soir. Tu viens le chercher à l'aéroport avec moi ?

f. Le ciel est noir, il (pleuvoir) ....

g. On sera à la gare quand tu (arriver) ....

h. Dépêchons-nous, on (rater) .... le bus !

i. Nous (aller) .... probablement dans le Jura.

A à z Vocabulaire

[LE TRAJET ET LES TRANSPORTS / VOYAGER] **p. 111**

1 **Associez les éléments pour former des expressions.**

a. aller jusqu'au •   • **1.** l'autoroute
b. arriver à •   • **2.** péage
c. emprunter •   • **3.** en classe affaires
d. étudier •   • **4.** un aller simple
e. voyager •   • **5.** destination
f. parcourir •   • **6.** un pays
g. réserver •   • **7.** terminus
h. s'arrêter au •   • **8.** le trajet

[SE LOGER] **p. 111**

2 **Complétez les phrases avec *complexe hôtelier, maison, village, tente, gîte, auberge de jeunesse, habitant*.**

a. L'.. est un endroit trop bruyant pour moi.

b. C'est un .... de luxe, classé 5 étoiles.

c. Dormir sous une ...., non merci !

d. Ce .... se trouve dans un endroit très calme.

e. Dans ce .... de vacances, on propose différentes activités récréatives.

f. Je me sens moins seul quand je dors chez l'... .

g. Comme nous étions dix, nous avons loué une grande ....

[VOYAGER] **p. 111**

3 Utilisez chacune des expressions suivantes dans une phrase qui en montre clairement le sens : *aller-retour, vol avec escale, passer la douane, composter son billet, changer de gare, voyage organisé.*

a. ....

b. ....

c. ....

d. ....

e. ....

f. ....

[LA MÉTÉO] **p. 111**

4 Écoutez et complétez les phrases. cd 25

a. Après une journée douce mais très ...., le temps .... en fin de soirée.

b. Il fera un temps .... et .... en début de mois.

c. Le temps sera assez .... mais .... sur tout le pays.

d. La majeure partie de la région connaîtra un temps ....

e. Cet après-midi, le ciel ...., mais le temps restera ....

Phonétique

[LES LIAISONS INTERDITES : LE « H »] **p. 111**

A Complétez les phrases suivantes avec *de* ou *d'* selon que le « h » est muet ou aspiré.

a. Beaucoup .... Hongrois proposent des chambres .... hôtes.

b. Le nouveau complexe .... hôtels est composé de bâtiments de 30 mètres .... haut.

c. Les frais .... hospitalisation ne sont pas très importants.

d. Avant .... hurler et dire que tout est trop cher, utilise un comparateur .... hébergement.

e. Les jeux .... hasard inquiètent beaucoup .... habitants .... Hong Kong.

f. Le climat .... Hollande est connu pour son taux .... humidité.

g. La salade .... homard n'est pas un plat .... hiver.

h. La compagnie aérienne a annoncé 10 % .... hausse de ses tarifs.

B Écoutez l'enregistrement pour vérifier, puis lisez les phrases. cd 26

 **Grammaire**

[LA CONDITION, L'HYPOTHÈSE] p. 114

 cd 27

1 **Futur simple ou conditionnel présent ? Écoutez et classez les phrases dans le tableau.**

Futur simple	Conditionnel présent
Phrases :	Phrases : ....

[LA CONDITION, L'HYPOTHÈSE] p. 114

2 **Associez les éléments pour former des phrases.**

a. S'il y avait de la neige, •

b. Si j'allais à Rome, •

c. S'il est prévoyant, •

d. S'il fait beau, •

e. Si vous décidez de partir, •

f. Si j'avais plus d'argent, •

g. S'il faisait plus chaud, •

h. Si je gagne assez d'argent, •

i. S'il pleut, •

j. Si tu louais une voiture, •

• **1.** je voyagerai en Europe.

• **2.** tu pourrais visiter les environs.

• **3.** je prendrais l'avion.

• **4.** nous ferions du ski.

• **5.** il va partir de bonne heure.

• **6.** nous irons faire du surf.

• **7.** il y aura moins de monde.

• **8.** on se baignerait dans le lac.

• **9.** appelez-nous pour réserver.

• **10.** je visiterais le musée Maxxi.

[LA CONDITION, L'HYPOTHÈSE] p. 114

3 **Conjuguez les verbes au conditionnel présent. Indiquez ensuite ce qu'exprime le conditionnel dans chaque phrase.**

Exemple : *1-b*

1. un souhait – **2.** une demande polie – **3.** une hypothèse – **4.** un reproche – **5.** une suggestion – **6.** un conseil – **7.** un fait imaginaire – **8.** une information non vérifiée

a. Ça te (dire) .... d'aller à la campagne ce week-end ? → ....

b. J'(aimer) .... beaucoup aller au Chili. → ....

c. Je (vouloir) .... un aller-retour Paris-Marseille s'il vous plaît ! → ....

d. Les températures (redescendre) .... à partir de la semaine prochaine. → ....

e. Nous (partir) .... tous les deux faire le tour du monde. → ....

f. Si l'eau n'était pas aussi froide, nous (pouvoir) .... nous baigner. → ....

g. Tu (devoir) .... prendre ton parapluie, il va pleuvoir ce soir. → ....

h. Tu (pouvoir) .... m'aider à faire les valises quand même ! → ....

i. Je (vouloir) .... prendre l'air. → ....

[LA CONDITION, L'HYPOTHÈSE] p. 114

4 Remplacez la condition par l'hypothèse comme dans l'exemple.

Exemple : *Où irez-vous si vous partez en voyage ?* → *Où **iriez**-vous si vous **partiez** en voyage ?*

a. Il refusera ta proposition même si tu insistes.

....

b. Si vous venez avec nous, vous ferez un voyage inoubliable.

....

c. Je louerai une voiture si je vais en Italie.

....

d. Tu m'accompagneras si je te propose de venir avec moi ?

....

e. Si vous choisissez ce guide, vous pourrez mieux organiser votre voyage.

....

f. Si nous prenons l'autoroute, nous arriverons beaucoup plus vite.

....

g. Ils iront skier s'il ne fait pas trop froid.

....

[LE CONDITIONNEL PASSÉ] p. 118

5 Transformez le conditionnel présent en conditionnel passé.

a. Si je pouvais, je voyagerais beaucoup.

....

b. S'il me téléphonait, je lui expliquerais le chemin.

....

c. Si nous venions avant, nous pourrions profiter du coucher de soleil.

....

d. Si j'allais en France, je vous enverrais une jolie carte postale.

....

e. Si tu partais pour l'Italie, tu apprendrais l'italien.

....

f. S'il faisait beau, nous nous promènerions dans le parc.

....

g. Si vous veniez avec nous, vous prendriez connaissance de l'histoire du pays.

....

[LE CONDITIONNEL PASSÉ] **p. 118**

6 Classez les phrases ci-dessous selon la valeur du conditionnel passé.

1. une information non vérifiée – **2.** un regret – **3.** un reproche – **4.** une hypothèse dans le passé – **5.** une demande atténuée

a. Je serais rentrée plus tôt s'il n'y avait pas eu d'embouteillages. → ....

b. Je me suis inquiété. Tu aurais pu m'envoyer un mail. → ....

c. Il fait frais, j'aurais dû prendre une veste. → ....

d. Je cherche mon passeport, tu ne l'aurais pas vu ? → ....

e. Il aurait oublié les clés à l'intérieur. → ....

f. J'aurais tant voulu vous aider à organiser ce voyage. → ....

g. Il aurait annoncé à sa famille sa décision de faire le tour du monde. → ....

[LE CONDITIONNEL PASSÉ] **p. 118**

7 Conjuguez les verbes pour exprimer le regret. Faites les élisions si nécessaire.

J'aurais préféré mener une vie nomade. Si je (avoir) .... un peu plus de courage, je (vendre) .... ma maison et je (parcourir) .... le monde entier. Je (apprendre) .... dix langues différentes. Je (goûter) .... des cuisines locales. Je (découvrir) .... tant de choses que je (aimer) .... ensuite faire connaître dans un magazine. Et je (peut-être devenir) .... riche et célèbre !

A à z Vocabulaire

[LA LOCALISATION / LE MOUVEMENT] **p. 119**

1 Complétez le dialogue avec : *en direction de, se déplacer, au bout de, en bas de, se garer, à l'angle de, continuer tout droit, dans le mauvais sens*. Faites les modifications nécessaires.

– Pardon madame, je cherche la gare.

– Vous êtes .... Ce n'est pas facile de .... en voiture à cette heure-ci. Alors, vous .... et .... cette rue vous faites demi-tour. Ensuite, vous allez .... centre-ville. .... la rue Pasteur et de la rue Victor-Hugo, vous tournez à droite. Vous descendez la rue Pasteur. La gare se trouve .... cette rue.

– Et il y a moyen de .... ?

– Oui, il y a le parking de la gare.

[LE PAYSAGE] p. 119

2 Associez les mots à leur définition.

a. la banquise •
b. le col •
c. la côte •
d. le désert •
e. le lac •
f. la steppe •
g. la vallée •

• **1.** espace entre deux montagnes creusé par un cours d'eau
• **2.** étendue marine couverte par une couche de glace
• **3.** grande nappe naturelle d'eau douce
• **4.** grande plaine sans arbres au climat sec
• **5.** partie d'un relief formant un passage entre deux sommets montagneux
• **6.** région très peu habitée au climat chaud
• **7.** rivage de la mer

[LA RÉSERVATION VIA INTERNET] p. 119

3 Répondez aux devinettes.

a. Se dit d'une offre de vacances ou d'un vol encore disponible à une date très proche du départ. → ....

b. Ce mode de transport consiste en l'utilisation commune d'un véhicule par plusieurs personnes. → ....

c. Grâce à ce service en ligne, le consommateur peut rechercher le meilleur prix pour un produit ou un service. → ....

d. Échanger son logement, prêter sa voiture ou camper chez l'habitant, cela a un nom : les vacances ....

e. Elles se composent du nom du titulaire, du nom de la banque et du numéro de compte.
→ ....

f. C'est une offre avantageuse ou une proposition d'activités intéressantes.
→ ....

g. Ce type de tourisme permet d'organiser et de réserver ses voyages via Internet.
→ ....

[L'ASSURANCE VOYAGE] p. 119

4 Complétez le texte avec : *couvrir, en charge, frais, hospitalisation, police d'assurance, rapatriement, souscrire, se faire rembourser*. Faites les modifications nécessaires.

Pour voyager à l'étranger, il est important de .... une assurance internationale qui prendra .... les .... médicaux et pharmaceutiques en cas d'incident. Cette .... permet de .... Elle .... également les dépenses de .... ou de ....

Compréhension orale

HÉBERGEMENTS INSOLITES POUR LES VACANCES

Écoutez et répondez aux questions. cd 28

1 De quelle période de l'année parle-t-on pour choisir un lieu de vacances ?

....

....

2 Quels adjectifs suivants caractérisent le mieux un hébergement insolite (plusieurs réponses possibles) ?

O ordinaire   O étonnant
O habituel   O rare

3 Le premier hébergement décrit est :

O une cabane   O une yourte
O une chapelle   O une ferme
O un bateau

4 De quelles pièces ce logement est-il composé ?

....

5 Quelle est la profession de la personne qui a créé cet hébergement ?

....

6 Quel est le prix de cet hébergement ?

....

7 À quel type de personnes le deuxième hébergement décrit convient-il ?

....

8 De quel moyen de transport s'agit-il ?

....

9 Quel est le prix d'un loft ?

....

10 De quels autres hébergements insolites parle-t-on dans ce document ?

....

Production écrite

Vous avez passé des vacances insolites. Décrivez-les dans un récit cohérent (160 à 180 mots). Parlez du lieu, du transport et de l'hébergement. Faites part de vos impressions sur ces vacances.

....

....

....

....

....

....

....

....

....

....

....

....

....

....

....

....

....

....

....

....

....

....

....

....

....

....

....

....

....

....

Préparation au DELF B1 — Production écrite

Vous répondez à François pour lui conseiller une destination. Vous lui racontez un voyage qui vous a plu. Vous décrivez l'endroit et les activités que vous y avez pratiquées (160 à 180 mots).

	À...	julien.75@hotmail.fr ; louise.14@gmail.com
Envoyer	Cc...	
	Objet :	Destination de voyage

Salut les amis,

Je prépare mes prochaines vacances d'été, mais je ne sais pas où aller. Aidez-moi à choisir ma future destination de voyage ! Où iriez-vous si vous aviez trois semaines ? Pour y faire quoi ? Pourquoi ? Et comment ?
D'avance merci.

François

	À...	françois.bordat@gmail.com
Envoyer	Cc...	
	Objet :	Rép : Destination de voyage

LA PLANÈTE EN HÉRITAGE

 **Grammaire**

[LES VERBES ET ADJECTIFS SUIVIS DE PRÉPOSITIONS] **p. 126**

1 **Placez les verbes suivants dans la bonne colonne :** *se saisir, mériter, continuer, s'occuper, aider, rêver, se débarrasser, réussir, participer.*

Suivis de la préposition *à*	Suivis de la préposition *de*

[LES VERBES ET ADJECTIFS SUIVIS DE PRÉPOSITIONS] **p. 126**

2 **Transformez les phrases comme dans l'exemple :**

Exemple : *Faire un geste écologique / Il s'agit.* → *Il s'agit de faire un geste écologique.*

a. Trier les déchets / Je continue.

....

b. Recycler les emballages / N'oublie pas.

....

c. Installer une boîte à partage / La mairie envisage.

....

d. Trouver son élan / Le bookcrossing peine.

....

e. Organiser une chasse aux livres / Nous essayons.

....

f. Finir à la poubelle / Le papier ne mérite pas.

....

g. Partager l'expérience de voyage éco-solidaire / Je rêve.

....

h. Préparer une pile de livres à donner / Il a promis.

....

[LES VERBES ET ADJECTIFS SUIVIS DE PRÉPOSITIONS]

3 Complétez si nécessaire le texte avec les prépositions *à* ou *de (d')*.

TROC'O LIVRES

Vous voulez vous débarrasser .... ces livres qui prennent la poussière chez vous ? Vous n'osez pas .... entrer dans une bibliothèque ? Le système Troc'o livres aide .... organiser des échanges entre amateurs de littérature par la poste.

Club de lecture à distance, Troc'o livres permet .... échanger les ouvrages rapidement. Envoyé le lundi, votre colis arrivera dès le mardi. Deuxième avantage de Troc'o livres : vous partagez directement .... vos impressions grâce à la fiche *Vos appréciations* qui accompagne chaque envoi.

Ainsi, même sans vous voir, vous créez .... des liens avec les autres membres et participez .... des échanges riches et intéressants. Avec Troc'o livres vous réussirez enfin .... faire de l'espace sur vos étagères et vous rencontrerez .... des amis !

A à z Vocabulaire

[LES MATÉRIAUX ET LES PRODUITS RECYCLÉS]

1 Barrez l'intrus.

a. feuille – papier – carton – textile
b. caoutchouc – liège – sable – plastique
c. canette – aérosol – boîte de conserve – prospectus
d. bocal – gobelet – pile – flacon
e. abandonner – broyer – compresser – fondre
f. récupérer – collecter – ramasser – jeter

[LES PRODUITS RECYCLÉS]

2 Trouvez quels produits recyclés composent les objets ci-dessous. Attention : certains produits ne permettent de fabriquer aucun de ces objet !

1. sachet de thé – **2.** canette – **3.** déchets verts – **4.** bouteille en plastique – **5.** brique de lait – **6.** pot de confiture – **7.** boîte de conserve – **8.** pile

a. N° .... **b.** N° .... **c.** N° .... **d.** N° .... **e.** N° ....

[LES ACTIONS DE RECYCLAGE] p. 127

3 Complétez les témoignages ci-dessous avec les mots donnés.

a. *les déchets verts, broyer, un bac à compost, réutiliser*

Passionnée de jardinage, j'ai installé depuis peu

.... dans mon jardin.

Maintenant, je n'achète pratiquement plus d'engrais

chimique pour mes plantations. Bon, le processus est un peu

long, et puis, il faut commencer par .... les

grosses branches, mais le résultat est là. En quelques mois,

.... sont transformés. Je les mélange à la terre et je peux les

.... pour jardiner. C'est écologique, et c'est aussi économique !

b. *déchetterie, conteneurs, liège, recyclé, capsules de café, tri sélectif*

Moi, je fais attention à tout ce qui peut être .... :

le papier, le plastique, le verre. Je suis devenu un professionnel du

.... ! Heureusement, la mairie a installé des

.... spéciaux pas loin de chez moi. Je vais

aussi souvent à la .... Avec les enfants,

nous fabriquons des jouets à partir de certains objets recyclables :

des .... et des bouchons en

.... par exemple. Je trouve que c'est important de

sensibiliser les enfants à l'écologie dès le plus jeune âge.

 Phonétique

[L'INTONATION MONTANTE OU DESCENDANTE DANS UNE PHRASE INTERROGATIVE] p. 127

Écoutez l'enregistrement et écrivez les phrases dans la colonne correspondante.

cd
29

Intonation montante	Intonation descendante

Grammaire

[LE GÉRONDIF] `p. 130`

1 Réunissez les deux phrases avec le gérondif.

a. Je suis revenu dans mon village. J'ai revu mes amis d'enfance.

....

b. Nous militons contre le réchauffement climatique. Nous distribuons des tracts.

....

c. On sait que notre planète va mal. Il faut défendre l'écologie.

....

d. Je participe au mouvement « zéro déchet ». Je fais du recyclage.

....

e. Notre famille a décidé de vivre plus simplement. Nous avons déménagé à la campagne.

....

f. Notre mairie se mobilise pour l'écologie. Elle installe partout des poubelles de tri sélectif.

....

g. Les militants écologistes veulent sensibiliser le public. Ils organisent une conférence sur le
développement durable.

....

[LE GÉRONDIF] `p. 130`

2 Complétez les réponses de l'interview avec des verbes au gérondif.

a. – Que pensez-vous des changements climatiques sur notre planète ?
– (réfléchir) .... à ce sujet, je me dis que nous n'y faisons pas assez
attention.

b. – Mais tout le monde n'est pas persuadé que l'écologie est un sujet très actuel…
– Je trouve cela triste. Mais (voyager) .... de plus en plus, les gens
commencent à s'informer sur la pollution, à voir d'autres réalités. C'est un bon début.

c. – Comment les sensibiliser plus ?
– (savoir) .... que le futur de la Terre intéresse tout le monde, on doit
s'adresser aux personnes de tous les âges. Et (avoir) .... un discours
positif, on sera mieux reçus.

d. – Quelles actions concrètes proposez-vous ?
– (commencer) .... à l'école, nous pouvons favoriser la conscience
écologique des jeunes.

e. – Pensez-vous que les jeunes sont plus sensibles aux idées écologiques ?

– Justement (être) .... jeunes, ils sont ouverts aux changements.

f. – Cela signifie que les seniors ne veulent pas changer leur mode de vie ?

– Pas du tout ! Parfois ils sont même plus actifs (militer) .... pour la cause écologiste.

[LE GÉRONDIF] p. 130

3 Sur la base de l'affiche ci-dessous, écrivez un texte explicatif pour un mode de vie plus écologique. Utilisez le gérondif.

10 GESTES **EFFICACES ET FACILES**

1 Limitez les emballages
26 kg de déchets en moins

2 Produisez du compost
40 kg de déchets en moins

3 Utilisez un Stop Pub
40 kg de déchets en moins

4 Réparez ou donnez vos appareils
16 à 20 kg de déchets en moins

5 Achetez en vrac
2 kg de déchets en moins

6 Préférez les écorecharges
1 kg de déchets en moins

7 Imprimez moins
6 kg de déchets en moins

8 Donnez vos anciens vêtements
2 kg de déchets en moins

9 Préférez les cabas ou sacs réutilisables
2 kg de déchets en moins

10 STOP au gaspillage alimentaire
Adoptez les gestes alternatifs : pour éviter de jeter des aliments, acheter à la juste quantité.
20 kg de déchets en moins

....

....

....

....

....

....

....

....

[L'ORDRE DU DISCOURS] p. 134

4 Soulignez dans chaque phrase le connecteur logique et dites ensuite quelle est sa fonction.

a. Notre société devient écoresponsable, d'ailleurs les initiatives écologiques y sont de plus en plus nombreuses.

  ○ illustre   ○ ajoute une nouvelle idée   ○ indique le début

b. Les produits chimiques peuvent polluer gravement, par exemple le sol.

  ○ classe   ○ illustre   ○ introduit une conclusion

c. L'isolation thermique, d'une part, et le système de chauffage efficace, d'autre part, nous permettent d'économiser beaucoup d'argent.

  ○ ajoute deux idées   ○ met en ordre   ○ ajoute une nouvelle idée

d. À cause du réchauffement climatique, la banquise se transforme en eau et donc le niveau des océans monte.

  ○ indique le début   ○ ajoute une nouvelle idée   ○ exprime une conséquence

e. Pour faire des économies d'énergie nous avons d'abord installé des panneaux solaires.

  ○ illustre   ○ exprime une conséquence   ○ indique le début

f. J'ai adopté le mode de vie « zéro déchet » : je trie les poubelles, je recycle, en résumé, je fais la chasse au gaspillage.

  ○ introduit une conclusion   ○ indique le début   ○ ajoute deux idées

g. Le documentaire *Demain* nous a permis de parler de l'écologie, de plus il a montré des exemples à suivre.

  ○ illustre   ○ classe   ○ ajoute une nouvelle idée

h. Mon ami a commencé à faire des économies d'eau et d'énergie chez lui, ensuite il a arrêté d'acheter des produits hors saison.

  ○ met en ordre   ○ exprime une conséquence   ○ indique le début

[L'ORDRE DU DISCOURS] p. 134

5 Imaginez la fin des phrases suivantes.

a. Pour arrêter la disparition de la banquise, il faut tout d'abord ....

....

b. Pour répondre aux défis écologiques, il faudrait par exemple ....

....

c. La biodiversité est menacée, d'une part ....,

et d'autre part ....

d. Les énergies alternatives sont de plus en plus populaires. D'ailleurs, ...

....

e. Nous achetons uniquement des produits de saison, bio et locaux. Bref, ...

....

f. Je voudrais partir vivre dans la nature. Donc, ...

....

Aàz Vocabulaire

[LES ENJEUX ÉCOLOGIQUES] `p. 135`

1 A. Retrouvez dans la grille 6 mots relatifs à l'écologie.

B. Complétez la phrase suivante avec les mots retrouvés dans la grille.

Les ....

....

ont un ....

.... sur

la ....

I	W	Y	E	Y	L	R	S	I	P	C	F	P	B	G
M	N	A	S	D	N	A	R	Y	U	X	A	V	D	C
P	A	L	K	C	Y	D	G	Y	D	A	D	C	W	F
A	T	Z	B	P	Z	I	A	E	U	B	C	N	V	A
C	U	H	V	D	G	O	A	X	R	N	M	R	D	C
T	R	N	H	M	H	A	G	C	A	F	H	O	V	I
W	E	T	F	A	D	C	I	O	B	V	L	X	A	I
H	Y	Z	K	Y	S	T	X	C	L	N	C	G	C	L
N	O	Q	V	H	L	I	T	S	E	P	A	G	V	F
H	C	Q	C	T	E	F	D	E	C	H	E	T	S	J
P	T	I	N	Z	R	S	A	T	O	X	I	Q	U	E
T	U	I	Y	Q	K	F	H	K	X	B	A	C	L	K

[ENJEUX, TECHNOLOGIES ET SOLUTIONS ÉCOLOGIQUES] `p. 135`

2 Retrouvez les mots correspondant aux définitions.

a. Substances présentes dans l'atmosphère qui empêchent le bon équilibre de la chaleur de la Terre. → ....

b. Dépenser de manière désordonnée, inutile. → ....

c. Espace vertical dans la terre qui contient de l'eau au fond. → ....

d. Installation pour produire de l'énergie à partir de la lumière du jour.

→ ....

e. Recouvrir une surface comme un toit avec des plantes. → ....

f. Dégradation de l'environnement par des déchets. → ....

g. Système qui transforme la force du vent en énergie. → ....

h. Variété des organismes vivants sur la Terre. → ....

Compréhension écrite

Lisez le document et répondez aux questions.

Nantes. Dans la boîte à dons, du chaud contre le grand froid

Ces cabanes bricolées se multiplient en France. Elles sont destinées à recueillir l'objet qui ne sert plus à l'un mais pourrait être indispensable à l'autre. À Nantes, dès les premières gelées, les quatre « boîtes utiles » de la ville se sont transformées en distributeurs de couvertures et vêtements pour les plus précaires. Le système a fonctionné plein pot.

Septième lever du jour en dessous de 0 °C. Sous le froid soleil, une femme d'un certain âge explore une cabane en bois posée au fond d'un square, dans un quartier résidentiel plutôt aisé du nord de Nantes. Repère un plaid quasi neuf. Bonne prise : *« Je n'ai pas de chauffage, il fait 10 °C chez moi. C'est dur. Depuis l'arrivée du grand froid, je suis venue plusieurs fois m'approvisionner dans la Boîte utile. J'ai trouvé un gros manteau et une couverture. Ça aide bien. »*

La Boîte utile est le petit nom nantais de la Givebox, trouvaille berlinoise. La première de ces baraques à dons a en effet été localisée dans la capitale allemande au début des années 2010. Depuis, le concept gagne doucement l'Hexagone [...]. Nantes s'est lancée dans l'aventure en 2013.

Son fonctionnement tient en trois phrases, imprimées sur une feuille A4 punaisée sur la cabane nantaise. Chacun est libre d'y déposer ce qu'il veut, pourvu que la chose soit réutilisable. Et n'importe qui a le droit d'y prendre ce qui lui chante, à toute heure du jour ou de la nuit. Tout, pourvu qu'il ne soit jamais question d'argent. On ne vend pas, on ne revend pas non plus.

La Boîte utile n'est pas une poubelle. Elle exige un entretien quotidien : *« Tout était en vrac lorsque je suis arrivée tout à l'heure*, confie Michèle Georget, une riveraine occupée à replier les vêtements tombés sous la penderie. *Je passe tous les jours. Quand le désordre m'énerve trop, je range. Ce n'est pas bien fatigant. »*

13 h. Il y a du passage autour de la Boîte. Pour nettoyer, pour donner, pour se servir. L'abri ne reste jamais désert très longtemps. *« C'est comme ça depuis le début du grand froid »*, explique Mélissandre Levaxelaire, l'une des responsables de la cabane du square. La veille, le réseau des Boîtes utiles avait lancé un appel à dépôts, sur sa page Facebook et dans *Ouest-France*. [...]

Agnès Clermont, ouest-france.fr, 26/01/2017

1 Une boîte à dons sert à :
○ stocker gratuitement des objets pendant l'hiver.
○ déposer des objets utiles à ceux qui en ont besoin.
○ laisser des objets inutiles qui seront revendus.

2 Quels objets sont les plus recherchés en hiver ?

....

3 Une des boîtes à dons à Nantes se trouve sur une place dans un quartier populaire :
○ Vrai   ○ Faux
Justifiez votre réponse : ....

4 En quoi les objets trouvés dans la boîte aident la femme ?

....

5 Comment appelle-t-on les boîtes à dons à Nantes ?

....

6 Quelle est l'origine de cette idée ?

....

7 Quelles sont les trois règles d'utilisation des boîtes à dons ?
– ....
– ....
– ....

8 Que peut-on faire en plus de déposer ou prendre des objets pour le bon fonctionnement des boîtes à dons ?

....

9 Comment l'information sur ces actions est-elle diffusée à Nantes ?

....

10 Trouvez dans le texte un mot équivalent à « découverte, invention » :

....

Détente

QUIZ : ÊTES-VOUS ÉCOLO ?

1 **Le développement durable, c'est quoi ?**

○ un parti politique écolo né en Allemagne
○ l'idée de développer l'économie des pays très lentement
○ une politique basée sur le respect des besoins des générations futures et pas seulement présents

2 **Couper l'eau quand on se brosse les dents, ça revient à économiser :**

○ 10 000 litres d'eau par an.
○ rien du tout, cela dépend de la quantité de pluies.
○ 700 litres d'eau par an.

3 **Quel produit naturel on peut utiliser pour faire de la lessive ?**

○ des pétales de fleurs séchées
○ du liège
○ une noix indienne, fruit du Sapindus Mukorossi

4 **L'empreinte écologique, c'est quoi ?**

○ l'histoire de tous les mouvements et associations qui luttent pour notre planète
○ le calcul de l'impact de l'activité humaine
○ une nouvelle mesure pour les passeports biométriques

5 **Quel produit met le plus de temps à se décomposer dans la nature ?**

○ un chewing-gum
○ un sac en plastique
○ une canette en aluminium

6 **Dans quelle ville on trouve le supermarché Rainbow qui vend tout sans emballage ?**

○ Paris
○ Marseille
○ San Francisco

7 **Pour se débarrasser d'un vieux canapé cassé :**

○ il faut aller à la déchetterie.
○ il suffit de le déposer en bas de l'immeuble.
○ on le donne à une association.

D'après femina.fr

UN TOUR EN VILLE

Grammaire

[LE DISCOURS RAPPORTÉ AU PRÉSENT ET AU PASSÉ] p. 142

1 Entourez dans chaque phrase la forme du verbe qui convient.

a. Il m'a demandé si (j'ai participé / j'avais participé / je participe) au ramassage des déchets.

b. Je lui ai répondu que la municipalité (organiserait / a organisé / organisera) des collectes.

c. Ils ont demandé si des conteneurs à verre (seraient / étaient / sont) installés l'année prochaine.

d. Elle voulait savoir comment on (peut / pouvait / va pouvoir) participer à des opérations de sensibilisation.

e. Vous nous avez répondu que les policiers (sanctionneront / sanctionnent / sanctionneraient) systématiquement à partir de maintenant.

f. Je leur ai demandé de (ferait / faire / faisait) une intervention dans notre école.

g. Nous leur avions expliqué que nous ne (connaissons / connaîtrons / connaissions) pas cette nouvelle réglementation.

h. Tu as demandé ce que tu (risquais / risqueras / risques) comme contravention ?

i. Le maire a affirmé que la municipalité (prendra / prendrait / a pris) toutes les mesures nécessaires.

[LE DISCOURS RAPPORTÉ AU PRÉSENT ET AU PASSÉ] p. 142

2 Transformez le texte au discours indirect.

La municipalité a constaté des infractions à la propreté de plus en plus fréquentes. Voulons-nous continuer à vivre dans un environnement dégradé ? Non, bien sûr, c'est pourquoi nous allons augmenter le montant des amendes. Si le nombre d'infractions diminue, notre ville sera plus belle pour tous. Nous avons aussi décidé de mettre l'accent sur la transmission aux plus jeunes : nous allons organiser dans les écoles des campagnes de présentation des bons gestes à adopter. Nous ferons une distribution de sacs-poubelle afin que les enfants participent au tri des déchets avec leur professeur. Nous leur avons également proposé de réaliser un spectacle de fin d'année sur cette thématique. Tout le monde sera invité !

Le maire a dit que ....

....

Il a demandé ....

....

Il a annoncé ....

....

Il a précisé ....

....

Il a ajouté ....

.... *et* ....

Il a aussi dit ....

....

Il a finalement expliqué ....

.... *et* ....

 Vocabulaire

[LA PROPRETÉ EN VILLE] p. 144

1 Complétez ce mail que Maël a écrit à l'association de son quartier avec les mots suivants (faites les changements nécessaires) : *volontaire, pince, sensibilisation, collectif, poubelle, retrousser, ramasser, lancer, affiche, pratique, éduquer.*

	À...	assoc.quartier-centre@gmail.com
Envoyer	Cc...	
	Objet :	Lancer un projet

Madame, Monsieur,
Étant un habitant du quartier Centre, je me permets de vous écrire afin de vous faire quelques propositions dans le but d'embellir notre espace de vie.
Il me semble essentiel de nous baser tout d'abord sur un .... citoyen,
composé de .... Chacun doit se .... les manches.
Nous sommes déjà plusieurs personnes motivées. Nous voudrions par exemple inviter les
gens à .... les détritus dans les parcs de la commune. Nous pouvons
nous munir de sacs- .... et de .... De plus, l'un
de mes voisins est graphiste. Il propose de réaliser des .... que nous
pourrions coller dans le quartier afin de faire une campagne de ....
Enfin, nous pourrions .... un projet de réflexion commun dans le but
d'................................. la population sur les bonnes .... à observer pour
préserver notre quartier.
Sincères salutations,
Maël Gaudin

[LA PROPRETÉ EN VILLE] p. 144

2 Retrouvez les mots d'après leur définition.

a. Il/Elle veille au maintien de l'ordre et à la propreté dans la ville. → ....

b. Lieu situé sous la ville où se retrouvent les eaux usées. → ....

c. Une personne qui est chargée du nettoyage. → ....

d. Une personne qui ne respecte pas la réglementation. → ....

e. Type de sanction qui consiste à travailler pour la communauté. → ....

....

[LA PROPRETÉ EN VILLE] p. 144

3 Retrouvez les 10 mots liés au vocabulaire de la propreté en ville.

D	E	C	H	E	T	A	F	Y	E	C	B	Q	H	Y
F	E	O	C	B	H	Y	M	E	B	O	U	E	U	R
D	H	N	U	I	L	K	B	C	E	R	Y	S	E	B
D	E	T	R	I	T	U	S	P	J	B	E	B	O	E
F	B	R	C	E	E	A	I	G	R	E	T	U	E	J
L	S	A	I	T	G	U	E	A	L	I	J	U	E	T
D	A	V	O	I	S	T	F	L	U	L	A	P	R	Y
T	Q	E	H	R	E	N	F	A	I	L	U	R	O	P
M	E	N	A	T	O	G	H	E	J	E	I	O	H	Q
X	N	T	S	E	R	U	I	F	A	C	R	P	R	E
B	Y	I	P	K	D	E	D	A	S	E	F	R	V	I
A	T	O	D	S	U	K	A	S	S	A	L	E	T	E
L	D	N	J	N	R	R	A	S	I	L	E	T	U	E
A	D	T	S	N	E	T	T	O	Y	A	G	E	F	A
I	T	G	E	R	S	I	S	B	R	E	N	D	E	U

Phonétique

[LES COURBES INTONATIVES] p. 144

cd
30

Lisez et interprétez les phrases suivantes à partir des informations données. Écoutez pour vérifier.

a. La semaine dernière, une campagne de sensibilisation a été lancée.

→ la semaine dernière = incrédulité / une campagne de sensibilisation = affirmation / a été lancée = surprise

b. Le grand nettoyage de printemps est une bonne pratique.

→ le grand nettoyage de printemps = affirmation / est une bonne pratique = interrogation

c. Tous les contrevenants vont être verbalisés et recevront une amende.

→ tous les contrevenants = interrogation / vont être verbalisés = affirmation / et recevront une amende = incrédulité

d. Les mégots de cigarette, les débris de verre et les détritus salissent nos villes.

→ les mégots de cigarette = interrogation / les débris de verre et les détritus = interrogation / salissent nos villes = insistance

e. Ces bombes de peinture sont utilisées pour faire des graffitis.

→ ces bombes de peinture = affirmation / sont utilisées pour faire des graffitis = surprise

Grammaire

[L'INTERROGATION] p. 147

1 Écoutez les questions et cochez le niveau de langue correspondant à chacune.

cd
31

	a	b	c	d	e	f	g	h	i	j
Registre standard										
Registre soutenu										

[L'INTERROGATION] p. 147

2 Remettez les questions suivantes dans l'ordre.

a. ont / les / Pourquoi / - / poubelles / parc / retiré / ils / le / dans / ?

....

b. Avec qui / faire / d'information / campagne / est-ce qu' / vont / la / ils / ?

....

c. affiches / les / vu / vous / Est-ce que / avez / nouvelles / ?

....

d. accès / installer / ils / la / Quand / ? / vont / - / rampe / d'

....

e. connais / résultat / de / consultation / ? / le / citoyenne / la / Tu

....

f. va / prochain / végétal / t / le / - / mur / ? / municipalité / Où / - / la / elle / poser

....

g. tu / parles / quoi / De / ?

....

h. avez / guide / sur / ? / Vous / trouvé / ce / site / quel

....

i. durcir / le / mesures / - / Comment / veut / les / maire / il / ?

....

[L'INTERROGATION] p. 147

3 Transformez les questions suivantes en questions soutenues avec inversion et reprise du sujet.

a. Cette initiative va être reconduite l'année prochaine ?

....

b. Est-ce que le collectif a alerté la municipalité ?

....

c. À quelle date est-ce que les fresques vont être dévoilées au public ?

....

d. De quel artiste est-ce que le directeur a parlé l'autre jour ?

....

e. Est-ce que l'espace public est réellement accessible à tous ?

....

f. Pourquoi est-ce que le maire a repoussé la date ?

....

g. Le spectacle son et lumière est gratuit ?

....

h. Comment est-ce que le public va réagir à l'arrivée du skatepark ?

....

i. Les habitants se sont investis dans la campagne d'embellissement du quartier ?

....

j. Les personnes âgées peuvent aller où pour avoir plus d'informations ?

....

[L'INTERROGATION] p. 147

4 Écoutez les réponses puis écrivez les questions qui correspondent en utilisant le registre soutenu comme dans l'exemple.

cd 32

Exemple : *L'exposition ouvre ses portes demain.*
→ *Quel jour/Quand l'exposition ouvre-t-elle ses portes ?*

a. .... ?

b. .... ?

c. .... ?

d. .... ?

e. .... ?

f. .... ?

g. .... ?

h. .... ?

i. .... ?

j. .... ?

k. .... ?

[LES INDÉFINIS (LA QUANTITÉ)] p. 150

5 Transformez les phrases comme dans l'exemple.

Exemple : *Aucun immeuble n'a de mur végétal.* → *Aucun n'a de mur végétal.*

a. Quelques parcs ont reçu du nouveau mobilier urbain.

....

b. Chaque immeuble aura droit à sa rampe d'accès.

....

c. Toutes les personnes à mobilité réduite ont manifesté.

....

d. Certains quartiers n'ont pas suffisamment d'éclairage public.

....

e. Aucun mur n'est vraiment beau.

....

f. Tous les maires ont promis des aménagements dans le passé.

....

g. Quelques mères de famille ont demandé un nouveau skatepark.

....

h. Aucune initiative n'a été respectée.

....

i. Chaque famille va pouvoir donner son avis sur la politique de la ville.

....

[LES INDÉFINIS (LA QUANTITÉ)] p. 150

6 Complétez le texte avec les indéfinis suivants : *certains, quelques-unes, chacune, toutes, aucune, tous, chaque, quelques, chacun, tout.*

Hier, je suis allé à l'inauguration du nouveau musée d'art de la ville. L'originalité est que

.... les œuvres proposées sont des œuvres d'art urbain. Il y a des

graffitis : .... sont réalisés au pochoir, d'autres à la bombe de peinture.

.... graffitis sont monumentaux et recouvrent ....

le mur de leur salle ! Je les ai .... trouvés magnifiques. Il y avait aussi

des installations lumineuses mais par contre, ... ne m'a vraiment plu

car je ne les ai pas trouvées très originales. Ce qui était quand même très sympa, c'est que

.... œuvre était présentée par son artiste. Moi qui n'y connais rien, ça

m'a permis de comprendre .... d'entre elles. À la fin de l'inauguration,

.... a reçu une invitation pour une des prochaines expositions du musée.

.... seulement m'intéressent, je vais vite en choisir une je pense.

[LES INDÉFINIS (LA QUANTITÉ)] p. 150

7 Lisez les phrases et prononcez correctement « tous ». Vérifiez en écoutant l'enregistrement.

a. Tous les artistes vont être présents à l'inauguration.

b. Ils seront tous montrés au public afin d'être validés.

c. Tous ont pu recevoir un guide de la solidarité.

d. Les organisateurs ont chaleureusement remercié tous les participants.

e. Hier, tous les enfants sont venus assister au spectacle de rue.

f. L'organisateur nous a tous remercié d'avoir participé.

g. J'ai pu admirer tous les dessins de cette exposition.

 Vocabulaire

[LE BIEN-ÊTRE EN VILLE, L'ART URBAIN] p. 151

1 Barrez l'intrus dans les listes de mots suivantes.

a. bâtiment – arrondissement – quartier – périphérie

b. bombe de peinture – pinceau – galerie d'art – rouleau à peinture – pochoir

c. monumental – gigantesque – clandestin – fresque

d. lumineux – éclairage – éphémère – lampadaire

e. galerie d'art – collage – exposition – installation artistique

[LE BIEN-ÊTRE EN VILLE, L'ART URBAIN] p. 151

2 Retrouvez les paires de même sens.

a. artiste de rue •   • **1.** périphérie

b. débat public •   • **2.** monumental

c. banlieue •   • **3.** référendum

d. gigantesque •   • **4.** banc

e. mobilier urbain •   • **5.** graffeur

[LE BIEN-ÊTRE EN VILLE, L'ART URBAIN] p. 151

3 Écoutez les personnes faire des commentaires et retrouvez de quoi elles parlent.

cd
34

a. ....   **d.** ....

b. ....   **e.** ....

c. ....   **f.** ....

Compréhension orale

ET SI DEMAIN VOUS AGISSIEZ DANS VOTRE VILLE ?

Écoutez et répondez aux questions. cd 35

1 Que propose la mairie aux Parisiens depuis 3 ans ?

....

....

....

....

2 On vient d'inaugurer le :

○ 50ᵉ projet   ○ 500ᵉ projet   ○ 600ᵉ projet

3 Quels sont les exemples de projets cités (deux réponses au choix) ?

....

....

4 Quelle somme d'argent est investie chaque année ?

....

5 Tous les projets proposés sont réalisés :

○ Vrai   ○ Faux

Justifiez votre réponse :

....

....

6 Quelle est la condition pour pouvoir voter ?

....

7 Quel lien existe-t-il entre Porto Alegre, New-York, Madrid et Paris ?

....

....

Production écrite

Votre municipalité fait elle aussi appel à ses citoyens pour proposer des projets d'amélioration du quotidien des habitants de la ville. Vous écrivez à la mairie afin de proposer votre projet (social, environnemental, culturel…). Vous expliquez comment le mettre en place et argumentez sur les bienfaits qu'il apporterait à la population (160 à 180 mots).

Accueil → Contact

Vous souhaitez écrire un message à la mairie ? Utilisez le formulaire ci-dessous.

Objet de votre message

Proposer une idée ☑

Écrivez votre message

....
....
....
....
....
....
....
....
....
....
....
....
....
....
....
....
....
....
....
....

Préparation au DELF B1 — Production orale

[LE MONOLOGUE SUIVI]

Vous dégagez le thème soulevé par le document (ci-dessous) et vous présentez ensuite votre opinion sous la forme d'un court exposé de 3 minutes environ. L'examinateur pourra vous poser quelques questions.

Après avoir conquis la rue, le street art fait sa place au musée

Adoré des touristes et amateurs de promenades urbaines, le street art s'est transformé et aura à partir de samedi son premier lieu d'exposition permanente à Paris, « Art 42 ». L'heure de la reconnaissance pour le mouvement né dans la rue ? « *Aujourd'hui, on voit le street art comme une représentation de la liberté, mais c'est très faux. C'est un mouvement complètement intégré* », estime Paul Ardenne, historien de l'art contemporain. Né à la fin des années 60, le street art a longtemps été lié au vandalisme, à la dégradation et à la contestation, mais a perdu une partie de cette aura. Une situation encore renforcée par l'ouverture de musées.

AFP

SOIF D'APPRENDRE

Grammaire

[LA CAUSE ET LA CONSÉQUENCE] p. 158

1 Entourez l'expression correcte dans les phrases suivantes.

a. Il apprend l'anglais (car / ce qui fait qu') il veut partir en Australie.

b. (Puisque / Donc) tu veux parler avec le professeur, demande-lui sur quelle leçon va porter le test.

c. J'ai eu une mauvaise note en juin, (par conséquent / étant donné que) je dois repasser l'examen en septembre.

d. Vous êtes très en avance, (donc / comme) vous avez le temps d'aller prendre un café.

e. J'ai réussi l'épreuve de physique (grâce à / à cause de) mon amie Aude qui m'a tout expliqué.

f. (Étant donné qu'/ Ce qui fait qu') il a les meilleures notes, il a vraiment le choix pour son Master 2.

g. Il ne trouvait pas d'emploi dans son domaine, (puisqu' / du coup) il a repris ses études.

h. Je repasse mon bac (donc / parce que) je voudrais entrer à l'université.

i. La bibliothèque est ouverte le dimanche, (de sorte que / car) j'ai pu étudier tout le week-end.

[LA CAUSE ET LA CONSÉQUENCE] p. 158

2 Reliez les phrases puis reformulez-les avec une expression de cause ou de conséquence (plusieurs réponses possibles).

a. Il aura une bonne note •
b. Il a choisi d'étudier l'histoire •
c. Il a eu son bac •
d. Il a pris son vélo •
e. Il aime beaucoup lire •
f. Il mange toujours au restau U •
g. Il est très doué en dessin •
h. Il n'y a pas de master qui m'intéresse à Paris

• **1.** je vais partir étudier à Marseille.
• **2.** il va s'inscrire à l'université.
• **3.** il s'y intéresse depuis toujours.
• **4.** il est facilement entré aux Beaux-Arts.
• **5.** il a appris sa leçon.
• **6.** il est arrivé plus vite à son cours.
• **7.** la nourriture y est très bonne.
• **8.** il va étudier la littérature.

a. ....

b. ....

c. ....

d. ....

e. ....

f. ....

g. ....

h. ....

[LA CAUSE ET LA CONSÉQUENCE] `p. 158`

3 **Imaginez les causes et les conséquences possibles des situations suivantes.**

a. ....

b. ....

c. ....

d. ....

e. ....

f. ....

 ## Vocabulaire

[LES QUALITÉS POUR ÉTUDIER] p. 160

1 **Retrouvez les qualités de ces étudiants.**

a. Justine est très attentive en classe et elle fait ses devoirs avec beaucoup de soin. C'est une élève A _ _ L _ Q _ _ E.

b. Raphaël veut toujours tout faire parfaitement. Il réécrit plusieurs fois ses dissertations avant d'arriver à une version finale. Il est P _ _ _ E _ T _ _ N _ I S _ E.

c. Il ne faut pas faire de bruit car Pascale est en train d'étudier. Elle est très C _ _ C _ N _ R _ E.

d. Noé fait ses devoirs sans l'aide de personne. Il fait des recherches seul sur Internet. Il est vraiment A _ T _ _ O _ E.

e. Je trouve les études universitaires vraiment difficiles. J'avais l'habitude d'être très

S _ _ L _ _ R E au lycée. Je ne sais pas si je serai capable de m' A _ _ P _ ER.

f. Philippe se relit toujours avant d'envoyer un courrier. Il est très C O _ _ C _ E _ C _ _ UX.

g. Odile est très stricte dans ses études. Elle vérifie tout et elle est très précise dans ses travaux.

Elle est R _ _ O _ R _ U _ E.

[LES FILIÈRES] p. 160

2 Écoutez et dites quelle discipline étudient ces personnes. cd 36

a. Djamila étudie ....

d. Manon étudie ....

b. Rémi étudie ....

e. Hugo étudie ....

c. Lucienne étudie ....

f. Michel étudie ....

[LES ÉTUDES] p. 160

3 Reliez les éléments pour donner des définitions.

a. Le directeur de thèse •

b. Un lauréat •

c. Échouer à un examen, •

d. Le correcteur •

e. Se réorienter •

f. Le maître de conférence •

g. Un candidat •

h. Suivre un cursus, •

• **1.** c'est faire des études dans une discipline donnée.

• **2.** fait cours dans un amphithéâtre.

• **3.** conseille un étudiant qui écrit un mémoire.

• **4.** c'est obtenir une note inférieure à 10/20.

• **5.** se présente à un concours.

• **6.** permet de changer de cursus universitaire.

• **7.** a réussi un concours.

• **8.** corrige les copies d'un examen ou d'un concours.

Phonétique

[PRONONCIATION DE [y]] p. 160

Complétez les mots avec « i », « ou », « u » (« û »).
Écoutez ensuite l'enregistrement pour vérifier. cd 37

a. À votre t......r de v.........s exprimer s......r la pert.......nence de ce s.......jet.

b. Elle suit un c.......rs.......s scient......f.......que.

c. Il s'est montré r.......g.......reux dans le travail et vient de s.......ten.......r sa thèse.

d. S....... t...... as peur d'éch.......er, b.......che !

e. Mon t......teur est t......t......laire d'un master.

f. Cette réflexion est n.......rr.......e par pl.......sieurs années de recherche.

g. Cons.......ltez ces ....vrages et doc.......mentez votre b......bl.......ograph.......e.

Grammaire

[LE PARTICIPE PRÉSENT] p. 163

1 Complétez l'offre d'emploi en mettant les verbes au participe présent.

RECHERCHE ANIMATEUR / ANIMATRICE POUR CLUB DE VACANCES
Pour notre club de Nice, nous recrutons une personne (avoir) .... de l'expérience dans l'animation, (savoir) .... nager, (pouvoir) .... s'exprimer en anglais, (apprécier) .... le contact humain, (posséder) .... un talent artistique, (être) .... disponible immédiatement.
Envoyez votre CV et une lettre de motivation à club.vacances@youhou.fr

[LE PARTICIPE PRÉSENT] p. 163

2 Reformulez les phrases suivantes avec un participe présent, comme dans l'exemple.

Exemple : *Comme j'ai besoin de réviser mes maths, je vais à la bibliothèque.*
→ *Ayant besoin de réviser mes maths, je vais à la bibliothèque.*

a. La nuit tombe, le match a donc été reporté.

....

b. Je suis très fatigué, alors je vais devoir prendre des vacances.

....

c. Je n'avais pas de bonnes notes en français, j'ai donc suivi un cours de rattrapage.

....

d. Je ne savais pas quel cursus suivre, du coup j'ai pris une année sabbatique.

....

e. Je n'ai pas trouvé de stage dans ma ville, j'ai donc déménagé pour finir mes études.

....

f. Puisque tout le monde vote pour, la décision est prise.

....

g. Comme je ne pourrais pas être présent à la réunion, je vous enverrai mon rapport par courriel.

....

[LE PARTICIPE PRÉSENT] p. 163

3 Imaginez une cause antérieure pour chaque phrase, comme dans l'exemple.

Exemple : *Ma voiture étant tombée en panne, je suis arrivé en retard au travail.*

a. ...., je ne suis pas très en forme ce matin.

b. ...., elles n'ont pas eu le temps de faire

des courses.

c. ...., je n'ai pas pu rédiger mon devoir.

d. ...., il a décidé d'arrêter ses études.

e. ...., nous avons commencé à manger.

f. ...., nous ne pouvons pas faire le cours.

[LE PARTICIPE PRÉSENT] `p. 163`

4 Complétez le texte avec les verbes suivants au participe présent (forme simple ou composée) : *passer, être, ne pas disposer, juger, échouer, proposer, considérer.*

.... très attirée par le monde animal, Aude avait décidé de faire des études de vétérinaire. .... au concours d'entrée des écoles de vétérinaire en France, elle a voulu partir étudier ailleurs. .... de bourse ou d'aide financière, elle ne pouvait pas partir très loin. La Belgique .... de bonnes formations, elle a rempli un dossier pour l'école de Liège. .... que ce pays était francophone et très proche de la France, c'était la meilleure solution dans son cas. .... de très bonnes années à Liège, elle a du mal à quitter son pays d'adoption. .... qu'elle a un meilleur réseau en Belgique qu'en France, elle pense sérieusement à s'installer définitivement là-bas.

[LES PRONOMS RELATIFS COMPOSÉS] `p. 166`

5 Complétez le texte avec des pronoms relatifs composés.

L'université dans .... j'étudie se trouve à Nantes. Le département scientifique pour .... je fais des recherches est très prestigieux. Les séminaires .... je participe sont très intéressants. Les expériences scientifiques sur .... je travaille sont passionnantes. Les étudiants avec .... j'habite font aussi des sciences. La personnalité scientifique à .... je voudrais ressembler, c'est Marie Curie.

[LES PRONOMS RELATIFS COMPOSÉS] `p. 166`

6 Répondez aux questions comme dans l'exemple :

Exemple : *Vous étudiez dans une université à Paris ?*
→ *Oui, l'université dans laquelle j'étudie est à Paris.*

a. Vous avez appris le russe avec cette méthode ?

....

b. Vous vous êtes inscrit à ce cours en ligne ?

....

c. Vous êtes arrivé en retard à cause de cet accident ?

....

d. Vous avez travaillé pour cette entreprise ?

....

e. Vous avez pensé à ces livres pour la bibliographie ?

....

f. Vous avez progressé grâce à cette formation ?

....

g. Vous habitez près de ces bureaux ?

....

h. Vous avez répondu à la lettre de Yves ?

....

[LES PRONOMS RELATIFS COMPOSÉS] p. 166

7 Reformulez la lettre avec des pronoms relatifs composés pour éviter les répétitions.

Chère madame Hodard,
Je vous écris pour vous donner quelques nouvelles.
J'ai participé à la formation à Marseille. Je suis très satisfait de cette formation. C'était l'occasion d'un séjour très agréable. J'ai fait beaucoup de rencontres au cours de ce séjour. J'ai rencontré d'autres étudiants chercheurs. J'ai gardé contact avec ces étudiants chercheurs. J'ai revu le professeur Dujardin. J'avais écrit des articles de biologie cellulaire pour le professeur Dujardin.
Je travaille pour un laboratoire de recherche. J'habite à côté de ce laboratoire de recherche.
Je voulais vraiment vous remercier pour vos conseils. J'ai pu soutenir ma thèse grâce à ces conseils.
À très bientôt.

Marcel Lupin

Chère madame Hodard,
Je vous écris pour vous donner quelques nouvelles. Je suis très satisfait de la formation à laquelle j'ai participé à Marseille. ....

....

....

....

....

....

....

Vocabulaire

[LES CONNAISSANCES] **p. 167**

1 Retrouvez dans la grille les mots correspondant aux définitions suivantes :

a. apprendre par cœur
b. livre, document écrit
c. aller plus loin dans ses connaissances
d. ce qu'il faut toujours vérifier à propos d'une information
e. enrichir sa culture générale
f. le contraire de confusion
g. texte que l'on trouve dans un journal ou dans un dictionnaire
h. document qui représente visuellement des données

F	J	S	S	D	C	O	M	P	E	P	W
D	M	M	E	M	O	R	I	S	E	R	H
K	U	L	C	A	D	M	A	H	L	E	I
M	O	A	U	O	P	V	P	A	R	C	E
L	U	S	L	F	I	O	P	G	O	I	F
A	V	Y	T	T	A	D	R	A	F	S	I
A	R	T	I	C	L	E	O	S	L	I	A
P	A	I	V	Q	N	D	F	K	E	O	B
O	G	D	E	U	R	E	O	L	I	N	I
U	E	I	R	L	S	J	N	R	S	T	L
V	Z	C	O	R	C	V	D	U	A	C	I
B	H	G	R	A	P	H	I	Q	U	E	T
E	A	T	C	H	S	O	R	L	E	S	E

[LES CONNAISSANCES] **p. 167**

2 Reliez les éléments pour former des phrases.

a. Dans ce livre, l'auteur mène •
b. Mon travail consiste à analyser •
c. Pour mon exposé, je dois faire •
d. Il faudrait nourrir •
e. Quand on étudie la philosophie, il faut se poser •
f. Pour l'examen, vous traiterez •
g. L'ambition des professeurs est de transmettre •

• **1.** un peu plus votre questionnement.
• **2.** un sujet de votre choix.
• **3.** une réflexion sur l'apprentissage.
• **4.** des questions sur tout.
• **5.** des données sur les universités françaises.
• **6.** leur savoir aux étudiants.
• **7.** des recherches sur les écrivains français du XIXe siècle.

[L'ENSEIGNEMENT ET LES NOUVELLES TECHNOLOGIES] **p. 167**

3 Complétez le texte avec les expressions suivantes : *un casque, la réalité virtuelle, des modules, des formations en ligne, des simulateurs, des cours collectifs en ligne.*

Pour préparer les candidats à l'examen théorique, de plus en plus d'auto-écoles parient sur les nouvelles technologies et proposent .... Vous pouvez participer à .... ou suivre .... individuels. Pour apprendre le code de la route de chez vous, il faut un ordinateur, une connexion internet et .... Avant de passer à l'apprentissage dans une vraie voiture, certaines auto-écoles ont installé .... dans leurs locaux. C'est une grande avancée technique : avec ...., l'apprenti conducteur a vraiment l'impression d'être au volant.

Compréhension écrite

Lisez le document et répondez aux questions.

5 raisons d'apprendre à jouer d'un instrument de musique

Vous n'avez pas écouté vos parents quand ils vous ont proposé d'apprendre à jouer du violon ? Vous vous êtes arrêté à *Nothing Else Matters* à la guitare ? Vous n'avez jamais osé franchir le pas de l'apprentissage ? Il n'est pas trop tard pour vous y (re)mettre, car ce ne sont pas les excellentes raisons qui manquent pour apprendre à jouer d'un instrument de musique. Il y en a sans doute autant que de musiciens, mais en voilà déjà 5.

1. Communiquer partout, avec tout le monde

Pas de barrière de la langue avec la musique. Peu importe d'où viennent les musiciens, ils ont une langue commune : celle des notes. Et si vous voulez pousser un peu plus loin le dialogue musical, rien de tel que d'apprendre à lire les partitions ou connaître quelques accords. Il paraîtrait même qu'apprendre à jouer d'un instrument rend l'apprentissage des langues étrangères plus facile [...]

2. Faire de belles rencontres

La musique rassemble. En jouant d'un instrument, vous aurez la chance de rencontrer des musiciens d'univers et d'horizons très différents. Des personnes que vous ne rencontreriez peut-être pas dans vos cercles d'amis habituels, peut-être les membres de votre futur groupe ? [...]

3. Devenir le nouveau Messi, la nouvelle Serena Williams...

Il est désormais prouvé que l'apprentissage d'un instrument développe les zones du cerveau responsable de la motricité. Si vous êtes capable de coordonner vos gestes pour jouer en rythme et sans fausses notes, vous devriez aussi marquer plus de points pendant vos prochains matchs. Plus vous commencez tôt, plus ces effets seront marqués. Comme quoi, sport ou musique, pas besoin de choisir.

4. ...ou le nouvel Einstein !

En plus de (peut-être) devenir le prochain Jimi Hendrix, pratiquer un instrument pourrait aussi vous aider à devenir le prochain Einstein. En effet, apprendre à jouer d'un instrument de musique favoriserait le développement de la mémoire verbale, et même une augmentation du QI selon une étude canadienne. [...]

5. Développer votre créativité et faire baisser votre stress

Jouer d'un instrument régulièrement vous aide également à déstresser. Des études montrent que jouer de la musique aide à diminuer la pression artérielle et à ralentir le rythme cardiaque [...]. Les musiciens sont donc moins stressés, et aussi plus créatifs : apprendre à jouer d'un instrument fait appel simultanément à vos capacités cognitive, émotionnelles et de coordination. Une stimulation du cerveau pour « penser » différemment qui en retour stimule la créativité.

Ministère de la Culture, 18/05/2017

1 À qui s'adresse cet article ?

....

2 Quelle langue parlent tous les musiciens ?

....

3 Qu'est-ce qui devient plus facile quand on apprend à jouer d'un instrument ?
O comprendre les grandes œuvres musicales
O apprendre à parler une autre langue

4 Jouer d'un instrument de musique permet de :
O rencontrer des personnes différentes.
O renforcer ses relations amicales.

5 Faire de la musique a un effet sur le cerveau, grâce à cette activité :
O on devient plus flexible dans ses mouvements.
O on peut mieux maîtriser ses mouvements.

6 Pour bénéficier de ces effets positifs sur le cerveau :
O il n'est pas nécessaire de commencer la musique très jeune.
O il vaut mieux débuter tôt l'apprentissage d'un instrument.

7 D'après certaines études, apprendre un nouvel instrument permettrait aussi (plusieurs réponses possibles) :
O de retenir plus facilement des mots ou des sons entendus.
O de pouvoir faire plusieurs choses à la fois.
O de devenir plus intelligent.
O d'être plus détendu.
O d'être moins sensible aux virus.

8 La pratique de la musique stimule le cerveau et ainsi :
O réoriente la manière de raisonner.
O nous pousse à être plus rationnel.

9 Grâce à ce phénomène :
O on développe son imagination.
O on ressent moins de fatigue cérébrale.

L'ÉCOLE FAIT SON CINÉMA

Associez chaque résumé de film à son titre.

a. *Camille redouble* (2012)
b. *Hippocrate* (2014)
c. *Entre les murs* (2008)
d. *Les Quatre Cents Coups* (1959)
e. *Les Choristes* (2003)

1 François est un jeune professeur qui enseigne le français dans un collège parisien réputé difficile. Il essaie de motiver ses élèves en lançant des débats dans sa classe, mais il est vite débordé par les conflits.

Titre : ....

2 Une actrice de 40 ans est abandonnée par son mari Éric. Le soir du 31 décembre, elle est soudainement renvoyée dans son passé, 25 ans plus tôt. Elle a 16 ans de nouveau, elle retrouve sa vie de lycéenne, sa famille, ses amis, Éric.

Titre : ....

3 Janvier 49, Clément Matthieu est engagé dans un internat pour élèves difficiles. Il fait découvrir le chant aux jeunes qu'il est chargé de surveiller, et en particulier à Morhange, un élève chez qui il repère un grand talent de chanteur.

Titre : ....

4 Benjamin, 23 ans, débute dans le métier de médecin et fait un stage dans le service hospitalier que dirige son père. Il découvre la réalité et les difficultés du métier au côté de son collègue Abdel Rezzak, un autre interne venu d'Algérie.

Titre : ....

5 Antoine Doinel a 12 ans, il vit à Paris dans un petit appartement avec sa mère et son beau-père. Il a une adolescence rebelle : il ment à ses parents et à son professeur, il vole, il s'enfuit de chez lui. Sa fuite en avant prend fin quand il est arrêté par la police.

Titre : ....

IL VA Y AVOIR DU SPORT !

Grammaire

[LES DOUBLES PRONOMS] **p. 174**

1 Entourez la bonne proposition dans chaque phrase.

a. – Tu as apporté les documents à ton directeur ?
– Oui, je (les lui / les leur / la leur) ai apportés.

b. – Elle a envoyé ce mail à ses clients ?
– Oui, elle (les leur / le leur / le lui) a envoyé.

c. – Ils vont nous présenter le concept ?
– Oui, ils vont (le nous / nous le / le leur) présenter.

d. – Vous avez montré l'article à votre collègue ?
– Oui, je (la lui / se le / le lui) ai montré.

e. – Elles te présentent fréquemment leurs résultats ?
– Oui, elles (me les / te les / me le) présentent régulièrement.

f. – Il a offert ce menu à ses clients ?
– Oui, il (le leur / les leur / nous les) a offert.

g. – Tu t'es acheté l'abonnement à la salle de concert ?
– Oui, je (le lui / me le / me les) suis acheté.

h. – Vous allez confier cette mission aux étudiants masseurs ?
– Oui, je vais (les leur / vous la / la leur) confier.

i. – Tu as souhaité la bienvenue à notre invité ?
– Oui, je (les leur / la lui / nous la) ai souhaitée.

j. – Elles donnent souvent l'adresse aux clients ?
– Oui, elles (le leur / se la / la leur) donne par mail.

[LES DOUBLES PRONOMS] **p. 174**

2 Répondez à ces questions négativement (attention aux accords du participe passé).

a. – Tu conseilles à tes clients d'aller dans ce restaurant ?
– Non, ...

b. – Elles ont présenté le concept au responsable ?
– Non, ...

c. – Ils se sont arraché les brochures ?
– Non, ...

d. – Ils vous ont écrit ce mail ?

– Non, ...

e. – Tu as proposé cette idée aux habitants du quartier ?

– Non, ...

f. – Tu m'as envoyé l'adresse ?

– Non, ...

g. – Vous nous présenterez votre idée en réunion ?

– Non, ...

h. – Elle t'a fourni le lien vers le site internet du restaurant ?

– Non, ...

i. – Vous avez expliqué les règles aux nouveaux employés ?

– Non, ...

[LES DOUBLES PRONOMS] p. 174

3 Écoutez ces questions et répondez-y affirmativement ou négativement. cd 38

a. Oui, elle ....

b. Oui, ...

c. Non, ...

d. Oui, ...

e. Oui, ...

f. Non, ...

g. Oui, ...

h. Oui, ...

 Vocabulaire

[LE TEMPS LIBRE]   p. 175

1 Associez les éléments de même sens.

a. paresseux • • **1.** occupation
b. détente • • **2.** travailleur
c. passe-temps • • **3.** relaxation
d. bosseur • • **4.** allongé
e. couché • • **5.** flemmard

[LE TEMPS LIBRE] **p. 175**

2 Remettez les lettres dans l'ordre pour retrouver le mot qui correspond à la définition.

a. Chanson pour endormir les enfants. → BSCEEUER : ....

b. Synonyme de flemmard. → NATFANÉI : ....

c. Qui se fait sous forme de jeu. → QLUIUED : ....

d. Position du corps, sur les pieds et vertical. → DOBUTE : ....

e. Sentiment de calme intérieur.→ SNÉRÉIÉT : ....

f. Cours pratique et non théorique.→ AIETLRE : ....

g. Marcher sans but, en prenant son temps. → FRELÂN : ....

[LE TEMPS LIBRE] **p. 175**

3 Écoutez ces commentaires et associez à chacun l'expression qui lui convient le mieux.

cd
39

	Commentaire
Avoir un poil dans la main	....
Ne pas rechigner à la tâche	....
Prendre du temps pour soi	....
Rogner sur son temps	....

Phonétique

[LA PRONONCIATION DE /Œ/] **p. 175**

A Écoutez et classez les mots dans le tableau selon qu'on entend /E/, /Œ/ ou /O/ (attention, certains mots peuvent être classés dans deux colonnes différentes).

cd

40

/E/	/Œ/	/O/

B Comment s'écrit /Œ/ dans ces mots ? ....

Grammaire

[LA MISE EN RELIEF] p. 178

1 Écoutez ces personnes et complétez le tableau. cd 41

Sentiment exprimé	Cause du sentiment
a. ce qui me fascine	a. ce sont les musiques du monde et leurs mélodies envoûtantes
b	b.
c.	c.
d.	d.
e.	e.
f.	f.
g.	g.
h.	h.

[LA MISE EN RELIEF] p. 178

2 Reconstituez les phrases.

a. peur. / Ces applications, / c'est / qui / fait / me / ce

....

b. trouve / des patients. / l'autonomie / je / Ce / intéressant, / c'est / que

....

c. sont / méfie, / les produits / je / dont / Ce / connectés. / me / ce

....

d. lui / posera / qui / le diagnostic. / C'est

....

e. parlé / fois. / C'est / le / la / dont / je / t' / ai / dernière / docteur

....

f. Ce / est / sont / techniques. / le / ces / plus / nouvelles / qui / révolutionnaire, / ce

....

g. ce / C'est / suivre. / me / qui / demandé / spécialiste / à / médecin / de / j'ai

....

h. Ce / application. / à / nouvelle / quoi / une / j'ai / c'est / pensé,

....

i. parle. / le / dont / c'est / L'autodiagnostic, / ce / tout / monde

....

[LA MISE EN RELIEF] p. 178

3 Reformulez les phrases en mettant en valeur l'élément souligné.

a. J'aime vraiment ce contexte novateur.

....

b. J'ai peur des nouvelles applications de santé.

....

c. Il pense beaucoup à cette nouvelle technologie.

....

d. Elles rêvent du lancement de leur propre application.

....

e. Le public trouve ces évolutions trop rapides.

....

f. Cette chaussure est l'avenir de la course à pied.

....

g. Ils ont créé ce site internet.

....

[LE FUTUR ANTÉRIEUR] p. 182

4 Soulignez les huit verbes conjugués au futur antérieur dans la liste suivante.

J'avais fait – il aura écouté – elle serait – nous avions commandé – ils se seront perdus – tu as lu – vous aviez souri – elles sont sorties – je finirai – il a changé – vous aurez eu – tu auras dormi – elle aura pris – j'avais – il aura été – vous auriez – nous serons descendus – tu te seras promenée.

[LE FUTUR ANTÉRIEUR] p. 182

cd
42

5 Écoutez ces personnes et dites si vous entendez le futur antérieur ou un autre temps.

	a	b	c	d	e	f	g	h	i
Futur antérieur									
Autre temps									

[LE FUTUR ANTÉRIEUR] p. 182

6 Associez les éléments pour faire des phrases.

a. Nous utiliserons ce logiciel •

b. Les médecins pourront
mieux suivre leurs patients •

c. Ils fabriqueront le produit
en grande quantité •

d. Elle consultera son médecin
généraliste •

e. J'aurai totalement confiance
en cette technologie •

f. Elles lanceront leur
plateforme •

g. Les patients pourront sortir
de l'hôpital avec un bracelet
connecté •

• **1.** quand l'hôpital aura investi dans des
tee-shirts connectés.

• **2.** quand elle aura reçu les résultats
de ses analyses.

• **3.** quand le médecin les aura autorisés
à le faire.

• **4.** quand elles auront obtenu les financements
nécessaires.

• **5.** quand ils se seront assurés de bien pouvoir
le vendre.

• **6.** quand cette application aura été approuvée
par une grande partie des utilisateurs.

• **7.** quand nous aurons eu la certitude qu'il
est fiable.

[LE FUTUR ANTÉRIEUR] p. 182

7 Conjuguez les verbes entre parenthèses au futur antérieur.

a. Vous l'installerez sur votre téléphone quand la mise à jour .... (se faire).

b. Elle investira dans un nouvel ordinateur quand elle .... (recevoir)
son prochain salaire.

c. Nous lancerons le produit sur le marché quand nous .... (obtenir)
la licence d'exploitation.

d. Il retournera sur le terrain quand il .... (être soigné) par le médecin
de l'équipe.

e. Je présenterai notre innovation à la presse quand nous .... (rentrer)
du colloque international.

[LE FUTUR ANTÉRIEUR] p. 182

8 Finissez librement les phrases suivantes.

a. Tu pourras jouer quand ....

b. Nous nous inscrirons quand ....

c. Vous vous joindrez au groupe quand ....

d. Elle sera fière d'elle quand ....

e. J'arrêterai la compétition quand ....

f. Les gens feront plus de sport quand ....

 **Vocabulaire**

[LE SPORT ET LA SANTÉ] p. 183

1 Complétez la grille.

Horizontal

2. médecin specialiste du cœur
5. résultat de l'analyse
des symptômes
8. sport pratiqué en piscine

Vertical

1. objet utilisé au tennis ou
au ping-pong pour frapper
la balle
3. papier sur lequel le médecin
indique le traitement à suivre
4. premier modèle d'un produit
avant sa commercialisation
6. médecin qui endort
les patients avant une
intervention chirurgicale
7. se dit d'une maladie qui se
transmet d'un individu à l'autre

[LE SPORT ET LA SANTÉ] p. 183

2 Barrez l'intrus dans chaque liste.

a. le maillot – la combinaison – la posture – le filet
b. contagieuse – chronique – compétitive – grave
c. le pouls – le traitement – la température – la tension artérielle
d. l'infirmier – le dermatologue – le stomatologue – l'obstétricien
e. le court – la piste – le terrain – le saut

[LE SPORT ET LA SANTÉ] p. 183

3 Complétez le texte avec les mots suivants : *guérir, soulager, blessure, médicament, soigner, symptômes, traitement, salle d'attente.*

Samedi soir, en jouant au basket, je me suis fait une .... à la cheville.

Je suis alors directement allée aux urgences pour me faire .... La

.... était pleine et j'ai dû attendre très longtemps car je

n'étais pas prioritaire. En effet, beaucoup de personnes avaient des ....

plus graves que les miens. En attendant, on m'a juste donné un ....

pour .... ma douleur. Puis le médecin m'a vue, et m'a proposé un

.... plus long. Il m'a dit que ma cheville devrait ....

en 3 semaines.

LES EFFETS BÉNÉFIQUES DU SPORT SUR NOTRE CERVEAU

Écoutez et répondez aux questions.

cd
43

1 À quel sujet le magazine *Cerveau et Psycho* consacre-t-il son dossier de mars ?

....

....

2 Quel est le premier bénéfice du sport ?

....

....

3 Quand nous faisons du sport, l'activité du cortex préfrontal :

O devient plus importante.   O devient moins importante.   O ne change pas.

4 Que nous permettent de réaliser les régions situées à l'arrière du cerveau ?

....

....

5 Que provoque la dopamine ?

....

6 Comment réagit le cerveau à la pratique régulière d'un sport ?

....

7 Quelles sont les compétences améliorées par la pratique régulière d'un sport ?

....

....

8 La pratique d'un sport permet de lutter contre :

O la fatigue.   O la dépression.   O le vieillissement.

9 Quel est l'avantage du sport comme traitement par rapport aux médicaments ?

....

Production écrite

Vous avez écouté le document précédent à la radio. Vous-même, vous êtes un adepte du sport depuis quelques années. Vous écrivez un commentaire sur le site de la radio, afin de partager votre expérience : quand vous avez commencé et pourquoi, quel sport vous pratiquez et à quelle fréquence, etc. Enfin, vous expliquez les bénéfices que vous ressentez suite à la pratique de ce(s) sport(s).

ACCUEIL > CONTACT

France Info est à votre écoute, contactez-nous !

Sujet : C'est ma santé

Message :

....

....

....

....

....

....

....

....

....

....

....

....

....

....

....

....

....

....

....

Envoyer

Préparation au DELF B1   Compréhension de l'oral

LES OBJETS CONNECTÉS

Écoutez et répondez aux questions.   cd **44**

10 points

1 D'après le journaliste, Jérôme est un homme :   **1 point**

O rangé.
O branché.
O dérangé.

2 Quel objet Jérôme utilise-t-il ?   **1 point**

3 À qui le journaliste compare-t-il la borne ?   **1 point**

4 Quels exemples d'objets connectés contrôlables par la voix Jérôme Bouteiller donne-t-il ?   **1,5 point**

5 Quels sont les champions en terme d'intelligence artificielle ?   **1 point**

6 Que permet la pyramide inventée par la start-up française ?   **1 point**

7 Expliquez ce qui fait de cette pyramide un objet intuitif.   **2 points**

8 Quelles fonctions le robot a-t-il ?   **1,5 point**

CULTIVER LES TALENTS

Grammaire

[L'OPPOSITION ET LA CONCESSION] p. 190

1 Entourez le connecteur qui convient.

a. Cet écrivain est très connu, (au contraire / pourtant) il n'a écrit que deux livres.

b. (Malgré / Même si) la présence de plusieurs romancières parmi les finalistes, c'est un homme qui a gagné le prix Goncourt.

c. Djamila lit un roman policier (alors que / néanmoins) son mari fait la sieste.

d. J'adore la poésie (contrairement à / en dépit de) ma sœur.

e. Elle n'écrira pas ce livre, (même si / par contre) son éditeur le lui a demandé.

f. Je ne voulais pas voir Paul, (cependant / en revanche) je l'ai invité au Festival du livre.

g. Elle se plaint (même si / bien qu') elle ait une très belle situation aux Éditions Didour.

h. (En dépit de / Tandis que) ton mauvais caractère, on va t'offrir ce livre en cadeau.

i. Je te prête ce livre, (malgré / par contre) n'oublie pas de me le rendre.

j. J'ai adoré cette BD (bien que / tandis que) Marc ne l'a pas appréciée.

[L'OPPOSITION ET LA CONCESSION] p. 190

2 Complétez les phrases avec *mais, à l'inverse de, même si, bien que, tandis que, contrairement à, malgré, pourtant.*

a. Achille lit au format papier .... Julie préfère le format numérique.

b. .... les jeunes lisent moins que dans le passé, 70 % déclarent aimer la lecture.

c. .... mon mari, je regrette de ne pas avoir plus de temps pour lire.

d. .... les enfants d'aujourd'hui soient hyperconnectés, le smartphone peut aussi les amener à la lecture.

e. Cette biographie est intéressante .... incomplète.

f. .... la préférence des jeunes pour les romans d'aventure, les grands classiques se vendent encore très bien.

g. Cet écrivain québécois est remarquable .... il n'a pas de succès en Europe.

h. J'aime me détendre en lisant dans mon bain .... mes enfants qui préfèrent y jouer.

[L'OPPOSITION ET LA CONCESSION] p. 190

3 **Faites des phrases pour exprimer une opposition ou une concession.**

a.

....

....

Exemple : *Au petit déjeuner, elle lit les nouvelles sur sa tablette alors que son compagnon préfère les lire dans le journal.*

b.

c.

....

....

....

....

d.

e.

....

....

....

....

 Vocabulaire

[ÉCRIRE] p. 191

1 **Complétez les phrases avec le verbe ou l'expression verbale qui convient :** *publier, créer des personnages, adapter, écrire un dialogue, rédiger, bâtir une intrigue, éditer.*

a. .... des œuvres littéraires au cinéma est une pratique courante.

b. Hadrien va prendre une année sabbatique pour .... ses mémoires.

c. Les Éditions du Net proposent des services de publication qui permettent d'.....................................
son livre en ligne.

d. J'ai une idée de roman, je vais essayer de ....

e. Je cherche une méthode pour .... et qu'il soit réaliste.

f. L'éditeur a confirmé mercredi qu'il allait .... prochainement une réédition du livre d'Agathe Boulhat.

g. Avant de vous lancer dans le travail d'écriture, il faut .... et définir leur caractère.

[LES LIVRES] p. 191

2 **Reliez les phrases pour dire quels livres vous allez consulter si vous voulez :**

a. être léger, apaisé, ouvert aux autres ⚫   ⚫ **1.** une encyclopédie

b. connaître les secrets de la Joconde ⚫   ⚫ **2.** un livre de cuisine

c. créer un potager ⚫   ⚫ **3.** un guide de voyage

d. raconter un conte de fées ⚫   ⚫ **4.** un livre d'art

e. personnaliser et customiser votre intérieur ⚫   ⚫ **5.** un livre de jardinage

f. préparer un exposé sur la théorie de la relativité ⚫   ⚫ **6.** un livre de déco

⚫ **7.** un livre pour enfants

g. faire une blanquette de veau ⚫   ⚫ **8.** un livre sur le développement personnel

h. découvrir un nouveau pays ⚫

[LES GENRES LITTÉRAIRES] p. 191

3 **Écoutez et dites quels genres littéraires sont évoqués. Cochez les réponses correctes.** cd 45

	Extrait 1	Extrait 2	Extrait 3	Extrait 4	Extrait 5
Un roman d'aventures					
Un roman policier					
Un conte					
Une pièce de théâtre					
Une biographie					

Phonétique

[LA PRONONCIATION DES VOYELLES NASALES] p. 191

Écoutez et classez les mots dans le tableau selon le son qu'ils contiennent. cd 46

Le son [ɛ̃]	Le son [ɑ̃]	Le son [ɔ̃]

Grammaire

[LES INDICATEURS DE TEMPS (3)] p. 194

1 Retrouvez les indicateurs de temps qui correspondent au moment où l'on parle ou à quelque chose que l'on raconte.

a. En référence au moment où l'on parle :

Exemple : *hier*	*aujourd'hui*	*demain*
la semaine dernière	**cette semaine**	la semaine ....
....	**ce soir**	demain soir
....	**cette année**	....

b. En référence à quelque chose que l'on raconte :

la	**ce jour-là**	le lendemain
deux jours avant	**il y a deux jours**	....
....	**ce mois-là**	le mois ....
....	**cette année-là**	....

[LES INDICATEURS DE TEMPS (3)] p. 194

2 Complétez les phrases avec les indicateurs de temps suivants : *autrefois, le mois suivant, ce jour-là, la veille, dans, hier, cette année-là, vers, en ce moment, le mois prochain.*

a. ...., il va à son atelier trois fois par semaine.

b. Ma sœur est née en 1977. ...., Claude François chantait *Alexandrie Alexandra.*

c. ...., j'ai acheté le dernier livre de Virginie Despentes.

d. .... les années 1900, les peintres fréquentaient le quartier de Montparnasse à Paris.

e. Nous irons au Salon du livre ....

f. ...., je détestais la musique classique.

g. Le réalisateur a commencé le tournage de son film le 6 mars. ...., il était terminé.

h. Dimanche dernier, je me suis reposée car j'étais sortie .... et j'étais très fatiguée.

i. Le 10 juillet 2017, j'ai visité les jardins de Giverny. ...., il faisait très chaud.

j. Je crois que l'inauguration de sa galerie sera .... le 11 avril.

[LES INDICATEURS DE TEMPS (3)] p. 194

3 Racontez la semaine de Tania d'après ce qu'elle a noté dans son agenda.

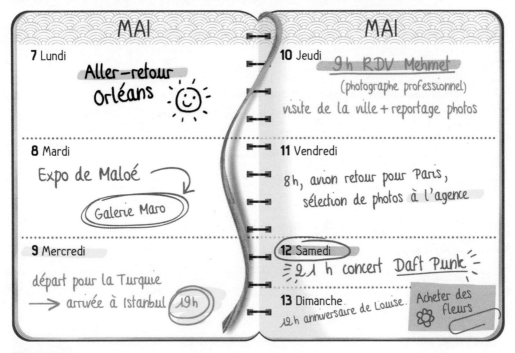

MAI

7 Lundi

Aller-retour Orléans ☀

8 Mardi

Expo de Maloé

Galerie Maro

9 Mercredi

départ pour la Turquie
→ arrivée à Istanbul (19h)

MAI

10 Jeudi

9 h RDV Mehmet
(photographe professionnel)
visite de la ville + reportage photos

11 Vendredi

8h, avion retour pour Paris,
sélection de photos à l'agence

12 Samedi

21 h concert Daft Punk

13 Dimanche
12h anniversaire de Louise.

Acheter des fleurs

Tania a pris l'avion pour la Turquie le mercredi 9 mai, elle ....

.... La veille ....

....

....

....

....

....

....

....

....

[LE PASSÉ SIMPLE] p. 198

4 Soulignez les verbes au passé simple dans la biographie de Paul Gauguin puis transformez-les au passé composé.

Paul Gauguin <u>fut</u> l'un des peintres français majeurs du XIXe siècle et l'un des précurseurs de l'art moderne. Pendant sa carrière, il explora les arts les plus divers : peinture, dessin, gravure, sculpture, céramique, etc.

Paul Gauguin naquit en 1848 à Paris mais il passa son enfance au Pérou. Il retourna en France à son adolescence. Après ses études à Orléans, il s'engagea dans la marine marchande puis navigua sur les mers du monde entier pendant six ans. À son retour en 1870, il devint agent de change à la Bourse, à Paris. Il se maria en 1873 avec une Danoise, Mette-Sophie Gad, avec laquelle il eut cinq enfants.

L'année suivante, il fit la connaissance du peintre Camille Pissarro, qui le conseilla et l'incita à participer à plusieurs expositions impressionnistes à partir de 1879.

Puis, en 1891, il décida de quitter Paris, abandonnant femme, enfants et amis pour aller en Polynésie où il pensait trouver le paradis. Il y séjourna deux fois. De 1891 à 1893, il vécut à Tahiti. Ensuite, après un court séjour en France, il revint en 1895 où il s'installa aux Marquises, sur l'île d'Hiva Oa, où il mourut en 1903.

Par ses formes et ses couleurs, la peinture de Gauguin exerça une grande influence sur les peintres fauves et expressionnistes de la génération suivante.

1. *a été*

2. ....

3. ....

4. ....

5. ....

6. ....

7. ....

8. ....

9. ....

10. ....

11. ....

12. ....

13. ....

14. ....

15. ....

16. ....

17. ....

18. ....

19. ....

20. ....

[LE PASSÉ SIMPLE] p. 198

5 Rédigez la biographie de Niki de Saint Phalle au passé simple avec les éléments de sa vie.

- Naissance à Neuilly-sur-Seine, 29 octobre 1930
- Départ de la famille pour les États-Unis à ses 3 ans
- Entrée à la Brearley School, New York, 1942. Intérêt pour les œuvres d'Edgar Allan Poe, Shakespeare et les drames grecs ; actrice dans les pièces de théâtre de l'école et écriture de ses premières poésies
- Mannequin pour les magazines *Vogue*, *Life* et *Elle* (17-25 ans)
- Mariage avec le musicien Harry Mathews, en juin 1949 à New York
- Naissance de leur fille Laura, 1951
- Débuts dans la peinture, années 50
- Installation à Paris, 1952
- Nombreux voyages : Allemagne, Espagne, Guatemala, Mexique
- Réalisation des *Nanas*, poupées de taille humaine en papier mâché, années 60-70
- Fréquente le groupe des Nouveaux Réalistes, rencontre de Jean Tinguely, mariage en 1971
- Réalisation de la *Fontaine Stravinsky* avec son mari, près du Centre national d'art et de culture George-Pompidou, 1983
- Mort à San Diego, 21 mai 2002

Niki de Saint Phalle, plasticienne, peintre et sculptrice française

....

....

....
....
....
....
....
....
....
....
....
....
....
....
....

 ## Vocabulaire

[L'ART]

1 Classez les mots suivants dans la colonne qui leur correspond (plusieurs réponses possibles) : *l'album, l'autoportrait, la bulle, la case, le chevalet, le roman graphique, la couleur, l'esquisse, l'instantané, le modèle, le paysage, le pinceau, la planche, le portrait, le tableau, la toile, l'aquarelle.*

La peinture	La bande dessinée	La photographie

[QUALIFIER, RÉAGIR]

2 Écoutez les réactions de ces personnes. Dites si leurs commentaires sont positifs (+) ou négatifs (–).

cd
47

a	b	c	d	e	f	g	h	i	j

Compréhension écrite

Lisez le document et répondez aux questions.

Québec : lisez dans la vitrine de la librairie, obtenez un rabais

La librairie Pantoute, située dans le Vieux-Québec, s'est lancée dans une promotion d'un tout nouveau genre : 15 % de réduction sur ses livres pour 30 minutes de lecture... dans sa vitrine. Les Québécois sont en effet invités à lire, assis dans un fauteuil dans la vitrine du magasin pour pouvoir profiter d'un rabais sur l'ensemble des ouvrages du magasin.

« Pour 30 minutes, on vous donne 15 % et pour 15 minutes, 5 % ! On est fous d'même ! » Le message affiché sur la page Facebook de la librairie Pantoute donne le ton. Depuis le 19 septembre, la boutique québécoise invite qui le souhaite à venir lire dans sa vitrine afin de pouvoir profiter d'une réduction sur l'ensemble des livres du magasin. Une scène insolite pour les passants qui peuvent regarder un lecteur assis dans un fauteuil rouge, absorbé par son livre en toute quiétude.

La librairie donne d'ailleurs un point d'honneur à répondre aux commentaires Facebook sur l'événement, qui a aiguisé la curiosité de nombreux internautes. Au milieu des encouragements, les questions fusent : on apprend, par exemple, que pour 1 heure de lecture, le rabais s'étend à 15 % sur 2 livres. Cela dit, les ouvrages français vendus au Québec sont plus chers qu'en France – l'avantage n'apparaîtra pas nettement pour un lecteur français.

« *C'est une idée qui trottait dans la tête de plusieurs personnes à la librairie depuis plusieurs années* », explique Patrick Bilodeau, libraire chez Pantoute à ICI Radio-Canada. « *C'est quelque chose, à notre connaissance, qu'on n'a jamais vu.* »

Le but est bel et bien d'attirer l'œil des curieux pour les faire rentrer dans la boutique. L'opération, aussi originale soit-elle, est en réalité une réaction face à la baisse des ventes des livres que connaît le Québec. [...] Alors pour Patrick Bilodeau, il faut faire marcher son imagination pour rebooster l'activité. « *Tout ce qu'on peut faire pour contrer ce déclin-là [...], tout ce qu'on peut faire pour mettre le livre en avant, pour lui faire retrouver le devant de la scène, ben ça peut être juste positif. Alors, oui, ce genre d'idée là est dans ce sens-là* », explique-t-il. Son opération promotionnelle se finira le 31 octobre prochain.

Julie Torterolo, actualitte.com, 23/09/2015

1 Dans cet article, on apprend qu'un libraire québécois :

○ invite ses clients à lire dans sa vitrine pour le plaisir.
○ propose des livres en solde.
○ installe ses clients dans sa vitrine pour le plaisir des passants.
○ met en place une campagne de promotion.

2 a. Que doivent faire les clients de la librairie Pantoute pour bénéficier d'une réduction ?

....

b. Quelles sont les conditions pour obtenir 5 % de réduction ?

....

3 Qui relaie cet événement ?

○ la presse
○ les réseaux sociaux
○ les passants

4 Cette réduction est surtout avantageuse pour les lecteurs français :

○ Vrai   ○ Faux

Justifiez votre réponse : ....

....

5 Ce type d'opération est fréquent au Québec :

○ Vrai   ○ Faux

Justifiez votre réponse : ....

....

6 Le marché du livre se porte bien au Québec :

○ Vrai   ○ Faux

Justifiez votre réponse : ....

....

7 Selon Patrick Bilodeau, cette opération permettra de :

○ doubler les ventes de livres.
○ faire connaître les nouveautés de sa librairie.
○ redonner une nouvelle dynamique à son activité.

8 Cette opération se renouvellera sans doute le 31 octobre prochain :

○ Vrai   ○ Faux

Justifiez votre réponse : ....

....

Détente

L'ART DANS TOUS SES ÉTATS

Qualifiez ces œuvres avec l'un des adjectifs suivants.

1. sentimentale – **2.** théâtrale –
3. moderne – **4.** poétique – **5.** réaliste –
6. engagée – **7.** romanesque

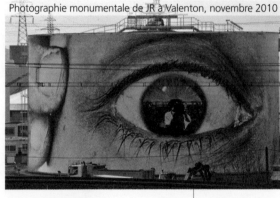

Photographie monumentale de JR à Valenton, novembre 2010

a. N° ....

b. N° ....

c. N° ....

L'Avare, Molière

d. N° ....

Le Chat

Je souhaite dans ma maison :
Une femme ayant sa raison,
Un chat passant parmi les livres
Des amis en toute saison
Sans lesquels je ne peux pas vivre.

Le Bestiaire ou Cortège d'Orphée,
Guillaume Apollinaire, 1911

e. N° ....

Les Raboteurs de parquet, Gustave Caillebotte, 1875

f. N° ....

L'Embâcle, sculpture-fontaine, Charles Daudelin, 1984

g. N° ....

TRANSCRIPTIONS

Unité 1 — page 5

Vocabulaire — Donner son opinion sur un plat

Activité 2 (piste 2)

a. La soupe de ma grand-mère est beaucoup trop salée. – **b.** Ce ragoût de lapin n'était pas vraiment mauvais, mais il n'avait rien d'exceptionnel non plus. – **c.** Je n'ai jamais mangé une mousse à l'orange aussi bonne. – **d.** Ce repas est vraiment réussi ; c'est un vrai repas de fête. – **e.** Cette spécialité au fromage fondu est beaucoup trop grasse. Je vais avoir du mal à dormir cette nuit.

page 5

Phonétique — Le mot phonétique et la virgule phonétique (piste 3)

a. On croit savoir la préparer, cette soupe aux poireaux. Pourtant, ce n'est pas si simple. – **b.** Quand les relations avec le voisinage sont cordiales, on peut se rendre service sans problème. – **c.** Vous avez prévu de faire une fête un peu bruyante ? Mettez un mot en bas de l'immeuble ou dans l'ascenseur, les voisins apprécieront. – **d.** Le comportement courtois au volant permet d'éviter le stress inutile. Un simple geste d'excuse, un sourire, un remerciement créent un climat de respect mutuel dont tout le monde profitera. – **e.** Pour faire découvrir des saveurs exotiques, nous aimerions organiser dans notre école un buffet sur le thème des voyages culinaires. Les plats proposés sont savoureux, ils ne laisseront personne indifférent.

page 8

Grammaire — La négation et la restriction

Activité 6 (piste 4)

Exemple : Il y a seulement des pâtes à la maison. → Il n'y a que des pâtes à la maison.

a. Je fais mes courses seulement à La Louve. – **b.** Elle ne regarde pas la télé, sauf les émissions de cuisine. – **c.** Tu as seulement besoin de farine et d'eau pour faire du pain. – **d.** Je range mon appartement seulement une fois par semaine. – **e.** Marc ne mange pas de fruits en hiver, sauf des mandarines. –

f. Marguerite Duras n'a pas écrit seulement des romans.

page 9

Vocabulaire — Le logement / La convivialité

Activité 1 (piste 5)

Exemple :
Mon premier est le contraire de « haut ». *(bas)*
Mon second est un tigre sans « g ». *(tire)*
Mon tout est un synonyme de « construire ». *(bâtir)*

a. Mon premier est le contraire de « sous ».
Mon deuxième est une note de musique.
Mon troisième est un adjectif démonstratif.
Mon tout représente le nombre de mètres carrés d'un logement.

b. Mon premier est la première lettre de l'alphabet.
Mon deuxième est le contraire de « avec ».
Mon troisième est le féminin de « frère ».
Mon tout permet de monter les étages sans se fatiguer.

c. Mon premier est la première lettre de l'alphabet.
Mon deuxième est une préposition.
Mon troisième est un pronom personnel de la deuxième personne du singulier.
Mon quatrième ne dit pas la vérité.
Mon tout est un logement dans un immeuble.

d. Mon premier est une note de musique.
Mon deuxième est une préposition.
Mon troisième est le contraire de froid.
Mon quatrième est un adjectif possessif de la 3e personne du pluriel.
Mon tout est l'étage le plus bas d'un immeuble.

page 10

Compréhension orale — APIMKA, tout savoir sur son futur logement (piste 6)

Comme deux millions de Français le font chaque année, Romain vient d'emménager dans un nouveau logement. Celui-ci correspond en tout point à ses attentes, du moins, c'est ce qu'il pensait. Car depuis plusieurs jours, Romain s'aperçoit que son chauffage fonctionne mal, et une fois au chaud dans son lit, il réalise que la nuit va être longue. À bout de nerfs, il se met à la recherche d'un nouvel appartement. Pour l'aider dans sa démarche, il peut compter sur APIMKA. APIMKA, c'est un site collaboratif qui vous permet de trouver des informations sur votre futur logement grâce aux avis des anciens occupants. Pour l'utiliser, rien de plus simple. Vous pouvez partager un avis sur votre logement, voisinage et quartier, ou simplement consulter, pour chacune de vos recherches, les commentaires déposés par les autres utilisateurs ainsi qu'une fiche pratique sur le quartier. Grâce à APIMKA, Romain a maintenant sélectionné l'appartement de ses rêves, et ce soir, il est sûr de dormir sur ses deux oreilles.
APIMKA, premier site de partage d'avis pour les appartements, les immeubles et les quartiers. Avec APIMKA, vous n'habiterez plus chez vous par hasard.

Unité 2 — page 13

Grammaire — Le passé composé et l'imparfait

Activité 1 (piste 7)

a. J'ai été étonnée de voir toute la famille. – **b.** On a été inquiets. – **c.** Je voyageais tous les étés. – **d.** Elle se réveillait à la même heure. – **e.** Il est resté longtemps. – **f.** Je passais beaucoup de temps là-bas. – **g.** Quand elle habitait à Bruxelles, le temps passait trop vite. – **h.** Elle en a gardé un souvenir inoubliable.

page 15

Phonétique — L'égalité syllabique et l'allongement de la voyelle accentuée

Activité 2 (piste 8)

a. Colmar et Mulhouse sont des villes françaises. – **b.** En hiver, cette aventure est dangereuse. – **c.** Je vois toujours des potes de primaire de mon collège. – **d.** Pour l'instant je ne pense pas au mariage, je suis content de ma vie de célibataire. – **e.** Une grande complicité s'est installée dans les échanges et les fous rires.

page 18

Grammaire **L'accord des verbes pronominaux au passé composé**

Activité 7 (piste 9)

Exemple :

– Mon fils s'est levé à dix heures ce matin, vos enfants aussi ?

– Oui, ils se sont levés à dix heures aussi.

a. Ma fille s'est bien amusée à l'anniversaire de Sébastien. Votre fils aussi ? – **b.** Mes amis se sont ennuyés à la soirée de Renaud. Votre femme aussi ? – **c.** Je me suis dépêchée pour arriver à l'heure ce matin. Toi aussi ? – **d.** Je me suis couché très tard hier. Vous et votre femme aussi ? – **e.** Mes collègues se sont mis au travail à sept heures. Vos collègues aussi ? – **f.** Mon fils s'est réveillé tard aujourd'hui. Vos filles aussi ? – **g.** Mon neveu s'est mis en blanc pour l'occasion. Ta fille aussi ?

Unité 3 page 24

Vocabulaire **Le travail indépendant / Le travail salarié**

Activité 2 (piste 10)

a. Depuis 3 ans, je travaille sur Internet tout en voyageant et en étant géographiquement libre. J'ai seulement besoin d'un ordinateur et d'une connexion internet pour bosser de n'importe où dans le monde, et j'aménage mes horaires comme je veux. Je crois que j'ai vraiment de la chance.

b. Avant, j'étais étudiante, c'était facile. Je savais exactement comment l'année allait être rythmée. J'avais le contrôle. Mais aujourd'hui, tout a changé... Comment dire... Je ne suis plus étudiante, mais pas encore active. Je suis demandeuse d'emploi et fatiguée d'envoyer des dizaines de CV. Bonjour la galère...

c. J'adore la littérature américaine. En ce moment, je suis en train de traduire des nouvelles de Paul Auster. Mais il m'arrive également de travailler pour le cinéma ou la télévision. Dans ce cas, je fais des sous-titrages de films ou de séries. Cette tâche est alors beaucoup plus technique !

d. Quand je partais en reportage, je réalisais des clichés puis je les vendais ensuite à des journaux ou des agences de presse. L'année dernière, j'ai changé d'orientation. Je me suis spécialisé dans les portraits animaliers. C'est beaucoup moins stressant que l'actualité et je rencontre plein de gens différents. C'est chouette !

e. Je pars en Nouvelle-Zélande demain avec mon ordinateur, mais pas pour le travail ! J'en aurai besoin pour raconter mes deux semaines de vacances sur mon blog et poster mes photos. L'année prochaine, ce sera la Thaïlande !

page 25

Phonétique **La prononciation de la consonne finale (piste 11)**

Exemple : – Est-ce qu'il descend ?
– Qu'il descende !

a. Est-ce qu'il part ? – **b.** Est-ce qu'il vit ? – **c.** Est-ce qu'il lit ? – **d.** Est-ce qu'il boit ? – **e.** Est-ce qu'il réfléchit ? – **f.** Est-ce qu'il répond ? – **g.** Est-ce qu'il sort ? – **h.** Est-ce qu'il dort ?

page 27

Grammaire **L'expression de l'opinion (1)**

Activité 4 (piste 12)

– Je trouve que tu es moins stressée qu'avant.

– C'est vrai. Je crois que c'est parce que j'ai changé de travail.

– Ah moi aussi je voudrais changer de boîte... Mais pour moi, ce serait un grand risque car j'ai quatre enfants. De plus, je me dis que ce n'est plus possible à mon âge.

– Je ne suis pas d'accord, tu pourrais facilement trouver autre chose.

– Tu te trompes. J'ai presque 50 ans et il me semble que les employeurs ne s'intéressent plus aux candidats qui ont dépassé la cinquantaine.

– À mon avis, tu devrais commencer par refaire un CV. Et je pense que tu devrais faire la liste de toutes tes expériences professionnelles passées. Puis demande-toi quelles sont tes qualités par rapport à chaque poste.

– Oh ! lala ! C'est compliqué. Mais en tout cas, quand je te vois, j'ai l'impression que c'est bon pour la santé !

page 30

Compréhension orale **Le bonheur au travail (piste 13)**

La bonne humeur au travail, ça tient parfois à peu de choses. À l'heure de la pause-déjeuner dans cette entreprise de gestion de service internet, on peut descendre à la cantine en s'amusant, grâce à ce toboggan. Ici, tout est fait pour que les deux cent cinquante salariés se sentent bien : produits frais à la cafétéria, salle de billard, coin repos et même une salle de sport.

« Au boulot, il y a parfois beaucoup de pression, beaucoup d'exigence. Et par moment, oui ça fait du bien de sortir de ce cadre-là et puis faire autre chose, se vider la tête et reprendre le service en pleine forme. »

Après l'effort, la douche, c'est de l'autre côté du couloir.

Côté cuisine, les plats sont élaborés par un traiteur, à moins de 8 €. Un service bienvenu quand on travaille dans une zone industrielle excentrée.

Dans les étages, les espaces sont lumineux, les bureaux vastes et aérés. Des choix qui ont coûté 10 % de plus lors de la construction du bâtiment.

« Ça a eu un coût d'installation, c'est un coût de l'immobilisation de l'espace mais finalement c'est pas si important que ça par rapport effectivement à l'engagement ou la fidélisation ou l'ambiance de travail finalement qui est tellement importante pour les salariés aujourd'hui. »

Selon la direction, il y a deux fois moins d'absentéisme comparé à la moyenne nationale, et un nombre de démissions nettement inférieur à celui du secteur.

« – Je pense que même si on me proposait le double de mon salaire, j'irais pas.

– À ce point-là ?

– À ce point-là. »

Selon l'association des directeurs des ressources humaines, ce genre d'initiative progresse en France, mais reste encore minoritaire.

page 32

Préparation au DELF B1

Compréhension de l'oral **Un rythme de vie décalé (piste 14)**

Les salariés qui travaillent de nuit ou en dehors du traditionnel 9h-18h ont-ils une vie meilleure ?

Médecins de nuit, travailleurs à la chaîne, chauffeurs de taxi, veilleurs de nuit ou tout simplement réceptionnistes dans un hôtel... Nombreuses sont les professions qui exigent d'adopter un rythme de vie complètement décalé par rapport au reste de la société.

20 % des Français travaillent en horaires décalés soit 5 à 6 millions de personnes. Ces travailleurs au rythme de travail particulier dorment généralement moins que les autres. En moyenne, 1 à 2 heures de sommeil en moins par nuit. Cette accumulation de fatigue, scientifiquement observée, s'appelle « la dette de sommeil ».

Et pourtant… Si travailler selon un planning d'horaires décalés était aussi une opportunité ?

Côté professionnel, ce type de travail est généralement compensé par un repos ou une rémunération supplémentaire. L'ambiance au travail est souvent plus détendue et les discussions avec les collègues plus fréquentes. Le patron étant rarement présent, les employés bénéficient également de plus d'indépendance et ont plus de responsabilités.

Côté personnel, on peut profiter d'instants plaisirs que les autres n'ont pas, comme éviter les heures d'affluence en ville, faire ses courses tranquillement en pleine journée pendant les heures de bureau…Terminé les files d'attente interminables à la caisse ! Mais la plupart de ces travailleurs choisissent ce rythme de vie, car ils peuvent, après s'être reposés durant la journée, récupérer leurs enfants à la sortie de l'école et en profiter pour passer du temps avec eux. Finalement, le secret, c'est de ne pas travailler en horaires décalés pendant trop longtemps. En effet, on a constaté que les premiers effets sur la santé commençaient à se faire sentir au bout de cinq ans.

Il vaut donc mieux savoir s'arrêter à temps, quand on a le choix !

Unité 4 page 35

Vocabulaire La mode et la consommation

Activité 3 (piste 15)

a. C'est vraiment très pratique, on n'a pas à se déplacer en magasin, on peut voir tous les modèles qui nous intéressent et en un clic, c'est acheté. Je ne vais presque plus dans les centres commerciaux. **b.** Je ne trouve pas ça très commode. Quand on met trop de choses dedans c'est difficile à porter sur l'épaule. C'est plus un accessoire de mode qu'un moyen pratique de transporter ses affaires. Je préfère les sacs à dos. **c.** Je suis spécialisé dans la création de chaussures. Je dessine les modèles, je choisis les matières et je supervise la fabrication. Tout reste très artisanal. J'aimerais bien me lancer dans la création de sacs en cuir dans les prochaines années. **d.** Je n'achète pas de vêtements sur un coup de tête. Je regarde les modèles,

j'en essaie beaucoup et avant d'acheter je me pose des questions : Est-ce que j'en ai vraiment besoin ? Est-ce que je vais le porter ? Avec quoi ? Comme ça, mes armoires ne sont pas pleines de vêtements que je ne mettrai jamais, et je fais des économies. **e.** Elle est très fournie. J'ai absolument de tout. Des vêtements d'été, d'hiver, de demi-saison… D'ailleurs, j'ai tellement d'habits qu'il n'y a pas assez de jours dans l'année pour tout porter. Il faudrait que je me débarrasse d'une partie, surtout que celle de mon mari est imposante aussi, nous n'avons qu'un seul dressing pour deux, et ça déborde ! **f.** J'adore ça, je trouve bête d'acheter au prix fort alors qu'on peut faire de bonnes affaires si on attend la bonne période. Alors bien sûr, on ne trouve pas toujours le modèle qu'on avait repéré sur Internet, ou alors il n'y a plus notre taille ou notre couleur préférée. Mais ce n'est pas grave ! Parfois on trouve exactement ce qu'on veut à moins 20 ou moins 30 % du prix, ou alors on se décide à acheter un vêtement auquel on n'aurait jamais pensé et qu'on va finalement porter des années. Le seul problème c'est qu'il y a souvent beaucoup de monde dans les magasins à cette période.

page 35

Phonétique L'enchaînement vocalique (piste 16)

a. J'ai été étonné et surpris par sa tenue en tissu végétal. – **b.** J'ai étudié et apprécié le système de financement participatif. – **c.** Le milieu associatif a eu une initiative citoyenne. – **d.** Tu as entendu parler de l'économie écoresponsable ? – **e.** Ce tissu est aussi bio et équitable. – **f.** Les clients en boutique ont souvent autant de rabais qu'ailleurs. – **g.** Il a aimé Edimbourg et a eu autant de plaisir à aller à Aix-en-Provence.

Unité 5 page 43

Grammaire Le plus-que-parfait

Activité 1 (piste 17)

a. Vous avez oublié. – **b.** Nous avions estimé. – **c.** Nous avions vu. – **d.** Nous avions quitté. – **e.** Vous aviez pensé. – **f.** Vous avez pensé. – **g.** Nous avons estimé. – **h.** Nous avions oublié. – **i.** Vous avez quitté. – **j.** Nous avions vu.

page 45

Phonétique Les liaisons facultatives

Activité 1 (piste 18)

a. Ce n'est pas utile. – **b.** Ce n'est pas idéal. – **c.** Ce n'est pas intelligent. – **d.** Ce n'est pas important. – **e.** Ce n'est pas habituel. – **f.** C'est pas original. – **g.** Ce n'est pas adéquat. – **h.** C'est pas accueillant.

page 47

Grammaire Les pronoms *en*, *y* et la double pronominalisation

Activité 3 (piste 19)

Exemple : – Tu veux que je t'achète des stylos ?
– Non, ne m'en achète pas !

a. Tu veux que je t'apporte un dictionnaire ? – **b.** Tu veux que je te parle de mon séjour ? – **c.** Tu veux que je m'en aille ? – **d.** Tu veux que je te donne quelques conseils ? – **e.** Tu veux que je te pose des questions ?

page 50

Compréhension orale Le français de nos régions (piste 20)

Thomas Sotto : Julie, alors…
Julie : Oui !
Thomas Sotto : Elle est en face de vous, c'est…
Julie : C'est Louise Ekland.
Thomas Sotto : Mais oui, le dernier mot de la matinale. Bonjour, ma chère Louise !
Louise Ekland : Bonjour à tous. Alors, je viens justement vous parler des mots. Mathieu Avanzi est linguiste et sa dernière étude fait le buzz sur Internet. En France, comment appelle-t-on un crayon dont on se sert pour écrire sur du papier ?
Thomas Sotto : Ben…
Louise Ekland : Eh bien, ça dépend des régions. La France est déchirée entre les partisans de crayon à papier et ceux qui défendent le crayon de papier. Sans compter dans le Nord on dit « crayon de bois », voire même « crayon gris » dans le Sud-Est et en Bretagne. Il y a vraiment de quoi s'emmêler les crayons.
Thomas Sotto : Ça doit être dur, dur pour une Anglaise, hein Louise ?
Louise Ekland : Ben, c'est un enfer, hein. Heureusement que Mathieu Avanzi, mon linguiste, préfère faire des cartes de France très claires pour visualiser tout ça. J'ai aussi appris que dans le Nord on ne dit pas « une serpillière » mais « une wassingue » et

dans le Nord-Ouest c'est « une toile », à Lyon « une patte », à Nice « une pièce »… Franchement, on a le temps d'y penser quand on renverse du vin sur la moquette ? Moi, c'est plutôt : « Passe-moi le truc ! » Et, en plus, mon mari est belge. Il dit pas « Sopalin », il dit « Spontex ». Bonjour l'ambiance : « Si tu peux me passer une wassingue ou une Spontex, il y a une chocolatine écrasée sous la table. »

Thomas Sotto : Parce qu'en plus, il dit « chocolatine », votre mari ?

Louise Ekland : Et ben, le pauvre, il est comme moi, il est complètement perdu hein. Je croyais qu'il suffisait de savoir que dans le Sud-Ouest c'est « chocolatine » et partout ailleurs « pain au chocolat ». Mais non, j'ai découvert que suivant les régions, on pouvait dire aussi « croissant au chocolat », « couque au chocolat » ou encore « petit pain ». J'en peux plus des pains au chocolat…

Unité 6 page 54

Vocabulaire Les genres journalistiques
Activité 1 (piste 21)
a. Ce week-end à Saint-Étienne, pour leur dernière compétition de préparation avant les championnats de France, les 11 nageurs retenus pour ce meeting ont accédé à 25 finales et sont montés 12 fois sur le podium : ils ont obtenu 4 médailles d'or, 2 d'argent et 6 de bronze. Louise Michon a participé à 3 finales et a gagné 2 médailles d'or. Adrien Brune, avec 4 finales…
b. Inspiré de l'histoire vraie de Sabine Delavoie qui avait donné naissance à l'autobiographie *Le Secret de Sabine*, *La Belle et son secret* ne peut laisser personne indifférent. Ce film bouleversant, qui avait déjà reçu de longs applaudissements lors de sa présentation au Festival de Cannes en mai dernier, vous fera rire et pleurer. Pour le message qu'il veut nous communiquer, le film de la réalisatrice belge mérite tout notre respect. Il s'agit certainement du meilleur film de l'année. Le seul défaut reste la musique qui est plutôt…
c. Nous sommes mardi et le mardi, ça rime avec économie. Bonjour ! Le Parlement suisse a dit non aux six semaines de vacances pour tous. Les Suisses sont les champions d'Europe du travail avec le plus grand nombre

d'heures travaillées par année. Mais cela a des répercussions sur la santé puisque 42 % des salariés suisses disent qu'ils sont stressés.
Des chercheurs canadiens ont développé l'indice du bonheur au travail. Il y a cinq critères : premièrement : se réaliser sur son lieu de travail. Ensuite, vient l'ambiance de travail, les relations avec les collègues. Troisièmement, on a le salaire et les vacances. En quatrième, la reconnaissance et finalement en cinquième…
d. Julien Casa, parlez-nous de notre invité du jour Michel Robert.
Alors, Michel Robert, vous êtes né le 10 juillet 1953. Vous vivez une enfance plutôt heureuse. Un père éditeur à succès. Votre destin est écrit, vous serez écrivain. Après des études en philosophie et en sciences politiques à l'université Paris-Nanterre vous vous engagez, dans les années 80, dans une voie littéraire quand vous publiez votre premier roman. En 1994…
e. Notre émission du jour sera consacrée au panda en raison de la naissance de Yuan Meng le 4 août au zoo de Beauval, un événement très rare ! Cette première en France a suscité un grand enthousiasme. Les parents de ce petit panda sont le mâle Yuan Zi et la femelle Huan Huan, prêtés par la Chine pour une durée de 10 ans. Parlons maintenant du panda, cet ours originaire de Chine à la fourrure noire et blanche. Il s'agit d'un grand mangeur de bambou. Il a un comportement relativement calme…

page 55

Phonétique L'élision (piste 22)
a. C'est vrai qu(e) tu lis l(e) journal tout l(e) temps ? – **b.** Tu vas l(e) faire, ce compte rendu sportif ? – **c.** Il faut que j(e) le vérifie tout (de) suite. – **d.** L'infobésité, je n(e) sais pas c(e) que les médias vont en dire. – **e.** Je m(e) demande c(e) que l(e) numérique nous apporte final(e)ment. – **f.** Elle dit qu(e) t(u) es hyperconnecté, c'est juste ? – **g.** Même si c(e) canular ne fait pas l(e) buzz, nous sommes bouleversés. – **h.** À ta place, je n(e) toucherai pas à la r(e) vue de presse.

page 59

Vocabulaire Rapporter une infraction
Activité 3 (piste 23)
– Bonjour monsieur l'agent, j'ai été agressée et je souhaiterais porter plainte.
– Quel est votre nom madame ?

– Lecarpentier : L.E.C.A.R.P.E.N.T.I.E.R
– Prénom ?
– Héloïse.
– Quand l'agression a-t-elle eu lieu ?
– Hier soir vers 22 h 30 dans le métro de Lille.
– Mercredi 22 septembre donc. Dans le métro vous dites. À quelle station ?
– À la station Colbert.
– Racontez-moi ce qui s'est passé.
– Alors voilà. Je venais juste d'entrer dans le wagon quand un homme m'a arraché mon sac à main et s'est enfui. Le vol a eu lieu en quelques secondes et j'ai été blessée au bras. J'ai dû aller à l'hôpital pour passer une radio. Heureusement, je n'ai rien de cassé. Mais je suis encore complètement bouleversée.
– Que contenait votre sac madame ?
– Mon portefeuille avec mon passeport et ma carte bancaire, mon portable, mon agenda et un stylo d'une grande valeur.
– Pouvez-vous me donner le signalement du malfaiteur s'il vous plaît : sexe, âge apparent, tenue vestimentaire.
– Tout s'est passé très vite mais je peux vous dire qu'il s'agit d'un grand blond qui portait un jean, un blouson en cuir noir et une casquette. Il portait des lunettes aussi et surtout, j'ai vu qu'il avait une grande cicatrice sur la joue. Je suis incapable de vous dire son âge, peut-être une trentaine d'années ?
– Bien, merci pour le signalement. Nous allons diffuser un avis de recherche et vous tiendrons au courant de l'enquête.
– Merci monsieur l'agent. J'espère que vous l'arrêterez bientôt !

Unité 7 page 63

Grammaire L'expression du futur
Activité 2 (piste 24)
Exemple : On va habiter en Belgique. → On habitera en Belgique.
a. Il va falloir trouver une autre solution. – **b.** Nous allons partir en voyage de noces en septembre. – **c.** Vous allez prendre le premier train. – **d.** Il va y avoir du monde sur la route. – **e.** On va déménager l'année prochaine. – **f.** Le guide va venir vous chercher à l'hôtel. – **g.** C'est lui qui va vous accueillir.

page 65

Vocabulaire La météo
Activité 4 (piste 25)
a. Après une journée douce mais très nuageuse, le temps se gâtera en fin de

soirée. – **b.** Il fera un temps pluvieux et humide en début de mois. – **c.** Le temps sera assez ensoleillé mais frais sur tout le pays. – **d.** La majeure partie de la région connaîtra un temps orageux. – **e.** Cet après-midi, le ciel se couvrira, mais le temps restera sec.

page 65

Phonétique **Les liaisons interdites : le « h » (piste 26)**

a. Beaucoup de Hongrois proposent des chambres d'hôtes. – **b.** Le nouveau complexe d'hôtels est composé de bâtiments de 30 mètres de haut. – **c.** Les frais d'hospitalisation ne sont pas très importants. – **d.** Avant de hurler et dire que tout est trop cher, utilise un comparateur d'hébergement. – **e.** Les jeux de hasard inquiètent beaucoup d'habitants de Hong Kong. – **f.** Le climat de Hollande est connu pour son taux d'humidité. – **g.** La salade de homard n'est pas un plat d'hiver. – **h.** La compagnie aérienne a annoncé 10 % de hausse de ses tarifs.

page 66

Grammaire **La condition, l'hypothèse**

Activité 1 (piste 27)

a. J'aimerais visiter le Pérou. – **b.** Je te remercie pour tes conseils, je les suivrai volontiers. – **c.** À ta place, je ne tarderais pas. – **d.** Je n'oublierai jamais cette ville. – **e.** Je voyagerai de cette façon pendant deux mois. – **f.** Je dirais que la cuisine y est plutôt exotique. – **g.** Je partirais bien trois jours à la campagne. – **h.** Je quitterai Paris début septembre.

page 70

Compréhension orale **Hébergements insolites pour les vacances (piste 28)**

Patricia : Bonjour Philippe Lefèvbre.
Philippe Lefèvbre : Bonjour Patricia.
Patricia : Vous qui nous écoutez ce matin, vous allez peut-être consacrer une partie de votre journée, puisque nous sommes dimanche, à choisir un lieu, une destination pour vos prochaines vacances d'été. Philippe Lefèvbre, vous allez aider nos auditeurs en proposant une série d'hébergement insolites et on va dire des hébergements insolites.
Philippe Lefèvbre : Ah oui, des hébergements insolites qui sont particulièrement tendance, mais il faut être clair, les hébergements insolites ne

se résument pas à des cabanes dans les arbres ou à des yourtes dans le Larzac, loin de là. Et dans ce domaine, force est de reconnaître que l'imagination est au pouvoir et la surprise au coin du chemin. Prenons l'exemple de Faverolles, une minuscule commune de l'Aisne. Là, on y trouve, par exemple un gîte, répondant au doux nom de Gîte de l'Angelot. Alors, cet hébergement, Patricia, a été installé dans une ancienne chapelle, dans la chapelle d'un couvent aujourd'hui disparu. À l'entrée on y trouve le salon ; là où était l'autel a été aménagée la cuisine et à l'étage, il y a deux chambres. Alors, c'est l'épouse d'un agriculteur du coin, qui elle-même est architecte d'intérieur, qui s'est lancée dans cette aventure, a sauvé ce lieu et c'est elle qui vous reçoit sur place. C'est un très bel endroit, pas très cher puisque le gîte pour quatre personnes est loué moins de 500 euros la semaine en pleine saison.
Patricia : Et puis, il y a aussi des hébergements parfaits pour ceux qui souffrent du mal de l'air.
Philippe Lefèvbre : Eh oui et qui veulent rester sur le plancher des vaches dans des avions, avions cloués au sol et transformés en lofts ! Alors le plus célèbre c'est l'ancienne caravelle de Corsair à la Chapelle-aux-Bois près d'Épinal. L'avion a été divisé en deux lofts : comptez 110 euros la nuit avec petit déjeuner.
Patricia : On peut sortir de l'avion ou pas ?
Philippe Lefèvbre : Absolument.
Patricia : D'accord.
Philippe Lefèvbre : Ah, il y a même sur certains hébergements insolites des avions avec piscine à côté. Donc vous pouvez revenir après tranquillement dans votre loft après avoir profité de la piscine, surtout s'il fait beau. Et puis il y a deux autres donc avions à Saint-Michel-Chef-Chef, c'est au sud de Saint-Nazaire, dans un lieu qui s'appelle le camping Haut Village. Là, vous trouverez d'autres hébergements insolites : une locomotive, un tramway, un ancien bus-discothèque, ou même carrément un wagon entier de train. Alors là, attention, ces lieux sont particulièrement recherchés, notamment en juillet, en août. Il reste peu de disponibilités. Par contre, pour un petit week-end en amoureux au printemps, c'est tout à fait possible.

Unité 8 page 75

Phonétique **L'intonation montante ou descendante dans une phrase interrogative (piste 29)**

a. Vous me demandez comment lutter contre les pubs papier dans les boîtes aux lettres ? – **b.** Qu'avez-vous fait pour limiter leur nombre ? – **c.** Vous avez déjà mis l'autocollant « Pas de pub, merci » ? – **d.** Et toujours aucun changement ? – **e.** Avez-vous essayé de discuter avec le facteur ? – **f.** Toujours rien ? – **g.** Il reste une solution : recycler les prospectus ? – **h.** Vous avez compris ?

Unité 9 page 85

Phonétique **Les courbes intonatives (piste 30)**

a. La semaine dernière, une campagne de sensibilisation a été lancée. – **b.** Le grand nettoyage de printemps est une bonne pratique. – **c.** Tous les contrevenants vont être verbalisés et recevront une amende. – **d.** Les mégots de cigarette, les débris de verre et les détritus salissent nos villes. – **e.** Ces bombes de peinture sont utilisées pour faire des graffitis.

page 86

Grammaire **L'interrogation**

Activité 1 (piste 31)

a. Pourquoi est-ce que les amendes sont si peu élevées ? – **b.** Avez-vous l'intention de changer vos habitudes ? – **c.** Ils aiment la nouvelle campagne de sensibilisation ? – **d.** Comment as-tu réagi à cette incivilité ? – **e.** Quand allons-nous organiser la collecte des déchets dans le parc ? – **f.** Est-ce que tu aimes ce nouveau projet ? – **g.** Pensez-vous que les nouvelles affiches seront dissuasives ? – **h.** Qu'est-ce que vous allez proposer comme programme ? – **i.** Vous allez visiter l'expo photo sur le concept de recyclage ? – **j.** Avec qui ont-ils élaboré ce projet ?

page 87

Grammaire **L'interrogation**

Activité 4 (piste 32)

Exemple : L'exposition ouvre ses portes demain.
→ Quel jour l'exposition ouvre-t-elle ses portes ? / Quand l'exposition ouvre-t-elle ses portes ?

a. Nous allons mettre le projet en place le mois prochain. – **b.** Nous avons travaillé avec les autorités municipales. – **c.** Je présente uniquement le guide de conseils pratiques. – **d.** Oui, ils ont beaucoup aimé la conférence sur l'égalité. – **e.** Elles ont rédigé le manuel en se basant sur leurs observations. – **f.** Cette brochure s'adresse à tout le monde. – **g.** Parce que c'est un vrai problème dans notre ville. – **h.** Non, les choses n'ont pas encore évolué positivement. – **i.** Il y aura 12 points principaux repris dans notre charte du bien vivre-ensemble. – **j.** Seuls les enfants pourront participer à cette rencontre. – **k.** L'école a financé ce programme culturel en lançant une collecte auprès des habitants.

page 89
Grammaire Les indéfinis (la quantité)
Activité 7 (piste 33)
a. Tous les artistes vont être présents à l'inauguration. – **b.** Ils seront tous montrés au public afin d'être validés. – **c.** Tous ont pu recevoir un guide de la solidarité. – **d.** Les organisateurs ont chaleureusement remercié tous les participants. – **e.** Hier, tous les enfants sont venus assister au spectacle de rue. – **f.** L'organisateur nous a tous remercié d'avoir participé. – **g.** J'ai pu admirer tous les dessins de cette exposition.

page 89
Vocabulaire Le bien-être en ville, l'art urbain
Activité 3 (piste 34)
a. Ce spectacle est tellement merveilleux ! La musique est particulièrement bien adaptée aux lumières. – **b.** Maintenant, même avec mon fauteuil roulant, je peux accéder aux bâtiments administratifs. – **c.** Facile ! On suit les directions : le centre est à gauche, à 500 mètres. – **d.** Je pense que c'est vraiment important d'y participer et de donner sa voix en votant ! – **e.** J'adore quand ils sont faits sur des murs dédiés à cet effet, mais sinon, je trouve que c'est seulement du vandalisme. – **f.** Quelle excellente idée de mettre des plantes sur les murs et les toits des immeubles !

page 90
Compréhension orale Et si demain vous agissiez dans votre ville ? (piste 35)
Journaliste : Catherine Boullay, depuis trois ans dans la capitale, la mairie propose aux Parisiens d'améliorer leur environnement grâce à un budget participatif. Eh bien le 500ᵉ projet vient d'être inauguré ce week-end.

Catherine Boullay : Oui, c'est un petit square Porte de Vanves. Une aire de jeux avec des constructions en couleurs, sur lesquelles les enfants vont pouvoir grimper. Ça va pas faire de dépêche AFP, mais c'est tellement mieux que l'espace vide et sinistre que les habitants traversaient un peu à la va-vite quand il était en friche.
Des projets à l'image de celui-ci, pour améliorer la vie de tous les jours, il y en a donc eu plusieurs centaines ces dernières années, ces trois dernières années exactement : deux murs végétalisés, des pistes cyclables, la réhabilitation des kiosques dans les parcs, ou encore celle, toujours en cours, des bains-douches pour les sans-abris.
Journaliste : 100 millions d'euros chaque année, 5% du budget de la ville, pour améliorer son quartier donc.
Catherine Boullay : Tout le monde peut proposer. Et les pouvoirs publics – une petite équipe de 7 personnes à la mairie de Paris – font le tri : est-ce que c'est légal ? Est-ce que c'est d'intérêt général ? Est-ce que ça relève de la compétence de la mairie ? Et combien il faut investir ? Une fois passés ces différents tamis, eh bien c'est l'heure des choix. De nouveau, la balle est dans le camp des citoyens, sans distinction de nationalité et sans distinction d'âge. Même les étrangers et même les enfants peuvent voter. La seule condition c'est d'habiter la ville. Vote en ligne ou dans la rue, avec des urnes qui se promènent sur des triporteurs. Le 13 septembre prochain eh bien il y aura la prochaine session.
Journaliste : Et d'ailleurs Paris n'est pas la seule ville à initier ce genre de projets.
Catherine Boullay : Non, En France vous avez Rennes, vous avez Montreuil, vous avez Grenoble, Metz qui s'y sont mis. Mais si on regarde ailleurs dans le monde il y a pas mal aussi de villes à l'avant-garde. Porto Alegre au Brésil, New York, Madrid qui se sont regroupés avec Paris sur une plateforme internationale très intéressante et que je vous invite à aller voir : *Open Government Partnership.*

Unité 10 page 95
Vocabulaire Les filières
Activité 2 (piste 36)
a. Je m'appelle Djamila, j'étudie le ciel : les étoiles, les planètes, etc. Pour cela, il faut analyser les images obtenues grâce aux satellites. Pour observer le ciel, il faut

être très patient et s'intéresser aux tout petits détails.
b. Je suis Rémi, j'apprends le dessin, la peinture et la sculpture dans une école spécialisée. Ce qui me plaît le plus c'est dessiner des modèles vivants et dans notre école, c'est possible. J'espère pouvoir vivre de mon art plus tard.
c. Je suis Lucienne. Je fais des études très longues. J'apprends entre autres l'anatomie, les pathologies. Je me suis lancée dans cette voie car j'avais des facilités dans les matières scientifiques et parce que j'aime le contact humain.
d. Je m'appelle Manon. J'adore voyager et je suis passionnée par la Terre, les paysages, et l'influence qu'ils ont sur les populations. Je passe mon temps à étudier des cartes et des statistiques. Dans mon domaine, il faut également avoir de bonnes notions d'histoire du monde.
e. Moi, c'est Hugo. Je ne sais pas trop quel métier j'aimerais faire, mais mon rêve est de travailler à l'étranger, dans différents pays. Du coup, j'ai décidé d'étudier l'anglais, l'espagnol et aussi l'arabe car ce sont des langues très répandues dans le monde.
f. Je m'appelle Michel. Je me suis lancé dans cette voie car je ne savais pas trop dans quelle filière m'inscrire à l'université. C'est très général et ça peut mener à beaucoup de métiers différents. Alors c'est intéressant, mais il faut lire des livres assez ennuyeux comme le Code pénal et il faut aussi apprendre des lois par cœur. Ce n'est pas facile.

page 95
Phonétique Prononciation de [y] (piste 37)
a. À votre t**ou**r de v**ou**s exprimer s**u**r la pertinence de ce s**u**jet.
b. Elle suit un c**u**rs**u**s scientifique.
c. Il s'est montré rig**ou**reux dans le travail et vient de s**ou**tenir sa thèse.
d. Si t**u** as peur d'éch**ou**er, b**û**che !
e. Mon t**u**teur est ti**tu**laire d'un master.
f. Cette réflexion est n**ou**rrie par pl**u**sieurs années de recherche.
g. Cons**u**ltez ces **ou**vrages et doc**u**mentez votre bibliograph**i**e.

Unité 11 page 104
Grammaire Les doubles pronoms
Activité 3 (piste 38)
a. Elle vous a donné les informations ? – **b.** Vous allez expliquer le concept aux clients ? – **c.** Je t'ai montré la nouvelle

affiche ? – **d.** Tu as mentionné la sieste acoustique à ta mère ? – **e.** Il s'est cassé le pied pendant la rénovation du restaurant ? – **f.** Vous allez nous envoyer cette lettre d'information ? – **g.** Ils ont présenté l'idée aux voisins ? – **h.** Tu vas te réserver la dernière place ?

page 105

Vocabulaire **Le temps libre**
Activité 3 (piste 39)
a. Tout ce temps passé à répondre à mes mails, mettre à la corbeille ceux qui ne sont pas intéressants… ça m'empêche de faire correctement tout le reste du travail ! – **b.** Il passe ses week-ends devant sa console, et dès qu'on lui demande de faire quelque chose, il n'est pas content ! – **c.** J'ai beaucoup trop travaillé ces derniers temps alors maintenant, j'ai décidé d'aller deux fois par semaine faire du sport. J'ai aussi pris la décision de m'organiser des moments de calme pour lire ou écouter de la musique tranquillement, surtout le week-end. – **d.** Elle met vraiment toute son énergie dans l'organisation de cet événement. Elle y passe beaucoup d'heures et s'occupe de tout !

page 105

Phonétique **La prononciation de /Œ/**
(piste 40)
paresseux, à la hauteur, un saut, bosseur, autonome, fainéant, un malaise, mauvaise, un essai, un traitement, laborieux, travailleur, une berceuse, un joggeur, une maladie contagieuse, un jeu.

page 106

Grammaire **La mise en relief**
Activité 1 (piste 41)
a. Ce qui me fascine, ce sont les musiques du monde et leurs mélodies envoûtantes.
b. Faire du sport, c'est ce dont je suis le plus fan.
c. Ce que je trouve absolument révoltant, c'est cette nouvelle mode de la paresse.
d. Ce mélange des styles, c'est ce que je trouve un peu bizarre.
e. Ce qui est le plus incroyable, c'est ce restaurant qui propose des massages à ses clients.
f. Faire la sieste pendant un concert, c'est ce qui me semble le plus fou !
g. C'est ce médecin qui me rend nerveuse.
h. Pouvoir faire son autodiagnostic, c'est ce à quoi nous devons nous préparer dans le futur.

page 107

Grammaire **Le futur antérieur**
Activité 5 (piste 42)
a. Il avait pu sortir de la maison après les cours ? – **b.** Quand j'aurai fini, je te préviendrai. – **c.** Tu recommenceras la course à pied l'année prochaine ? – **d.** Dans 6 mois, elle aura suffisamment récupéré de force physique pour reprendre le sport. – **e.** J'irai à la salle de sport quand j'aurai payé l'abonnement. – **f.** Quand nous serons revenus de notre ascension du mont Blanc, nous partirons dans les Andes. – **g.** Il recommencera à faire du sport, mais seulement quand il aura moins de travail. – **h.** Vous reprendrez une activité sportive douce quand vous serez sorti de la clinique. – **i.** L'entreprise lancera sa nouvelle montre connectée quand les ingénieurs auront fini de tester le prototype.

page 110

Compréhension orale **Les effets bénéfiques du sport sur notre cerveau (piste 43)**
Journaliste : Santé et sport ce matin, l'activité physique a aussi des effets bénéfiques sur notre cerveau. Le magazine *Cerveau et Psycho* y consacre un dossier dans son numéro du mois de mars. C'est loin d'être anecdotique Bruno.
Bruno : Et comme vous allez le constater, les bénéfices du sport sur notre cerveau sont nombreux. D'abord ça nous met de bonne humeur et ça s'explique au niveau du fonctionnement de notre cerveau : quand nous faisons du sport l'activité de la partie avant de notre cerveau, c'est-à-dire le cortex préfontal, diminue. Or, c'est là que se nichent tous nos petits tracas qui nous gâchent la vie quotidienne, nos rancœurs, nos colères, qui du coup passent au second plan. Et si notre cortex préfontal se met au ralenti c'est parce que d'autres régions qui sont situées plus à l'arrière de notre cerveau se mobilisent pour nous permettre de planifier et d'exécuter les mouvements que nous faisons en pratiquant un sport.
Un autre avantage, l'activité physique provoque la sécrétion de dopamine dans notre cerveau, c'est une substance qui nous donne un sentiment de bonheur. Enfin, le sport augmente la sécrétion de tryptophane. Cet acide aminé entre dans la fabrication de la sérotonine, une substance qui améliore notre humeur…

Journaliste : Plus surprenant Bruno, le sport fait aussi grossir notre cerveau.
Bruno : Effectivement mais à une condition : que la pratique du sport soit régulière, ça ne marche pas si on fait juste du sport de temps en temps. En tout cas, il a été prouvé que le sport augmente le volume de plusieurs parties du cerveau, en particulier du cortex préfontal.
Journaliste : Alors le sport fait grossir notre cerveau, il augmente aussi l'activité du cerveau.
Bruno : Effectivement, et on le voit très bien sur les clichés d'imagerie cérébrale ; les pratiquants réguliers améliorent leur attention, leur mémoire de travail ou à long terme. Ils contrôlent mieux leur impulsivité, ils ont une meilleure capacité de planification que les personnes sédentaires. Enfin, la pratique d'un sport régulier est un excellent antidote contre la dépression. Chez certaines personnes, se mettre au sport serait un traitement plus efficace que les médicaments et sans risques d'effets secondaires.

page 112

Préparation au DELF B1

Compréhension de l'oral **Les objets connectés (piste 44)**
Journaliste : Jérôme Bouteiller est un homme branché.
Jérôme Bouteiller : Ok Google, bonjour.
La borne : Bonjour Jérôme, ça fait plaisir de vous entendre, il est actuellement 17 h 17.
Journaliste : Depuis deux mois, il utilise sa borne d'assistance vocale.
Jérôme Bouteiller : Quels sont mes prochains rendez-vous ?
La borne : Votre réunion est intitulée « Faire montage vidéo » et est aujourd'hui à 19 h.
Journaliste : Plutôt que se plonger dans les écrans d'Internet, il préfère poser les questions les plus variées.
Jérôme Bouteiller : Quelle est la recette du gâteau au chocolat ?
La borne : Faire fondre le chocolat et le beurre séparément au micro-ondes. Mélanger le sucre et la farine… très bien…
Journaliste : La borne fait maintenant partie de la famille. Mais ce n'est pas qu'un gadget, la domotique révolutionne la vie quotidienne.
Jérôme Bouteiller : On pourra demain dialoguer avec un réfrigérateur

connecté, des ampoules ou sa voiture grâce à la voix. C'est vraiment une interface pour dialoguer avec les machines mais une interface universelle.

Journaliste : Il n'y a pas que les Américains ou les Asiatiques leaders en intelligence artificielle. En France aussi. Cette start-up française a créé en 2013 cette petite pyramide. Grâce à l'application du smartphone, dès que vous entrez dans la pièce, sans intervention de votre part, elle diffuse sur une enceinte la musique que vous aimez. Une autre personne arrive, la mélodie change. À plusieurs, la pyramide choisit sur Internet, parmi des milliers, un titre qui devrait faire l'unanimité. L'objet est intuitif.

Pierre Gochgarian : C'est-à-dire qu'il va comprendre petit à petit que vous aimez du rap, mais pas tel artiste. Que vous aimez du jazz quand vous vous levez le matin mais pas quand vous rentrez le soir, après le travail. Voilà. Donc c'est toutes ces interactions que vous faites avec l'objet qui vont lui apprendre à mieux vous connaître.

Journaliste : Et voici le robot créé par une autre start-up française. Il vous suit partout, obéit au son de votre voix et projette où vous voulez les vidéos ou films trouvés sur Internet.

Pierre Lebeau : Projette sur le mur ! Projette sur le plafond !

Journaliste : Même si les Français n'ont pas encore totalement adopté les robots dans leur intimité, le potentiel est immense.

Unité 12 page 115

Vocabulaire **Les genres littéraires**
Activité 3 **(piste 45)**

Comme chaque semaine, pour conclure notre émission littéraire, voici notre jeu. Je vais vous lire cinq extraits de livres et vous me direz à quel genre littéraire ils appartiennent. Écoutez bien chers auditeurs :

Extrait numéro 1 : Les heures passent. Interminables. Enfin, un policier crie son nom, avec un accent espagnol si parfait que Miguel a l'impression d'entendre la voix de son grand-père.

L'agent le conduit jusqu'à un petit bureau où un gros officier de police l'accueille :

– On peut faire l'interrogatoire en espagnol, si vous acceptez. On ne trouve pas d'interprète pour le français en ce moment.

Miguel donne son accord et on le conduit dans un autre bureau où on lui explique la situation. Rien de bien grave, en somme. On l'accuse de trafic de stupéfiants et du meurtre d'un dealer assassiné quelques semaines plus tôt.

Et voici le 2ᵉ : Léopoldine. C'est la première fille de Victor Hugo. Son père l'aimait beaucoup. Elle est morte en 1843 avec son mari : ils faisaient du bateau sur la Seine et sont tombés dans l'eau. Ils se sont noyés. Victor Hugo était en vacances avec Juliette quand il a appris la nouvelle dans le journal. Il a été très malheureux ! Il adorait sa fille. Plus tard, il a écrit pour elle de très beaux poèmes. Il a fait un livre : *Les Contemplations.*

Écoutez bien le 3ᵉ extrait : Sofia est la plus jolie fille de tout le village. Personne n'en doute. Quand ils la regardent, ses jeunes camarades pensent assister à un miracle de la nature. Ils se sont donné une mission : éviter absolument que la beauté de Sofia ne perde son éclat. Il faut empêcher l'adolescente d'entrer en contact avec tout ce qui n'est pas digne d'elle. Ils font ainsi volontiers, pour éviter qu'elle se fatigue, les travaux sans intérêt : ils rangent la classe à sa place et nettoient les couloirs quand c'est son tour.

Le 4ᵉ maintenant : Scène 13. *Paul entre dans le salon.*

Paul : Où est ma montre ? Quelqu'un a vu ma montre ?

Il cherche sa montre.

Paul : Et je suis en retard. Bon sang !

Agnès entre à son tour.

Paul : Agnès, tu n'as pas vu ma montre ?

Agnès : Pourquoi ? Tu l'as perdue ?

Paul : Évidemment ! Si je te demande, c'est que je ne l'ai pas.

Agnès : Pas la peine de t'énerver pour si peu et de me parler sur ce ton. C'est idiot et désagréable.

Paul : Qui est idiot et désagréable ?

Agnès : Toi qui cherches ta montre, il est huit heures. Et tu me fatigues déjà.

Enfin le dernier :

– Je parie vingt mille livres contre qui voudra que je ferai le tour de la Terre en quatre-vingts jours ou moins, soit dix-neuf cent vingt heures ou cent quinze mille deux cents minutes. Acceptez-vous ?

– Nous acceptons, répondirent MM. Stuart, Fallentin, Sullivan, Flanagan et Ralph, après s'être entendus.

– Bien, dit Mr. Fogg. Le train de Douvres part à huit heures quarante-cinq. Je le prendrai.

– Ce soir même ? demanda Stuart.

– Ce soir même, répondit Phileas Fogg.

Chers auditeurs, vous avez jusqu'à ce soir 20 h pour donner vos réponses sur le site internet de notre émission. Bonne chance et à la semaine prochaine !

page 115

Phonétique **La prononciation des voyelles nasales (piste 46)**

Écrivain, talent, compositeur, intrigue, engagé, comédien, pinceau, description, romancier, profond, sentimental, fiction, conte, peintre, encyclopédie.

page 119

Vocabulaire **Qualifier / Réagir**
Activité 2 **(piste 47)**

a. J'ai été très émue par ce concert de musique baroque. Quelle merveille ! – **b.** Je suis scandalisé par certaines œuvres présentées dans cette expo et pourtant j'aime l'art moderne ! – **c.** Quelle bonne comédie sentimentale, c'était très divertissant. – **d.** Ce roman m'a bouleversé, c'était très profond. – **e.** Je ne sais pas trop sur quel pied danser au sujet de cette programmation. Pas terrible quand même… – **f.** Quel navet ce court-métrage ! – **g.** Cette pièce de théâtre ? Horrible… – **h.** Dans ce film, Marion Cotillard est au sommet de son art, elle a bien mérité l'Oscar de la meilleure actrice. – **i.** Ce spectacle ? Du déjà vu… Tu connais la musique… – **j.** Très audacieux cet artiste ! J'admire son œuvre depuis des années déjà.

CORRIGÉS

page 3

Grammaire **Activité 1**

a. Il faut que nous écoutions le discours avant de commencer à manger. – **b.** Il faut qu'elles prennent un bus pour aller à La Louve. – **c.** Il faut que tu ailles au supermarché cet après-midi. – **d.** Il faut que nous mettions la table dehors. – **e.** Il faut qu'on fasse la vaisselle avant de partir. – **f.** Il faut que vous veniez au dîner de fin d'année. – **g.** Il faut que tu aies ton invitation pour venir à la cérémonie. – **h.** Il faut que je dise à mes invités d'arriver à l'heure.

Activité 2

a. Je veux bien que tu achètes des légumes pour la soupe. – **b.** Il faut que nous partions tôt. – **c.** Il faut que tu saches que Sylvain viendra aussi au cours de cuisine. – **d.** Ils veulent bien que je choisisse le menu pour mon anniversaire. – **e.** Je refuse que tu boives du café le soir. – **f.** Il faut que vous étudiiez l'histoire de la gastronomie en France pour l'examen. **g.** Il faut que tu me croies.

page 4
Activité 3

travailler – servir – connaisse – portions – reçoive – inviter – saches – parler – donnes

Vocabulaire **Activité 1**

a. l'égoutter / l'assaisonner – **b.** bouillir – **c.** saler – **d.** le hache – **e.** rôti – **f.** d'éplucher

page 5
Activité 2

a. C'est immangeable. – **b.** C'est comestible. – **c.** C'est délicieux. – **d.** C'est un régal. – **e.** C'est indigeste.

Activité 3

un chariot – les étiquettes – les prix – l'origine – le label bio – producteurs – l'étal – provisions – la queue – la caisse – les hypermarchés

Phonétique Voir transcription, p. 123.

page 6

Grammaire **Activité 1**

a. 4. – **b.** 6. – **c.** 1. – **d.** 2. – **e.** 3. – **f.** 5.

Activité 2

a. fasses – **b.** visiter – **c.** prépares –

d. t'entraînes – **e.** trouver – **f.** tiennes – **g.** suives – **h.** te mettes

Activité 3

Proposition de corrigé :

a. *Elle devrait boire une tisane au miel.* – **b.** *Il ferait mieux de ranger un peu.* – **c.** *Il vaut mieux faire la paix.* – **d.** *Il faudrait qu'il aille chez le coiffeur.* – **e.** *Elle ferait mieux d'appeler un plombier.* – **f.** *Il devrait donner son biberon au bébé.*

page 7
Activité 4

a. Je n'ai jamais habité à Paris. – **b.** Il n'a pas encore payé son loyer. – **c.** Nous avons décidé de ne pas refaire de Fête des voisins. – **d.** Je n'irai plus jamais manger dans ce restaurant. – **e.** Il n'y avait plus ni fruits ni légumes au magasin. – **f.** Personne n'aime le manque de courtoisie. – **g.** Il n'y a que des étudiants dans cet immeuble.

Activité 5

a. Il ne faut jamais mettre ses coudes sur la table. – **b.** Personne n'est venu hier au kot. – **c.** Je n'ai rien préparé pour mes voisins. – **d.** Je n'ai ni écrit ni téléphoné à mes voisins pour le Nouvel An. – **e.** Ça ne sert jamais à rien de s'énerver en voiture. – **f.** On ne trouve que des produits bio dans ce supermarché collaboratif. – **g.** Ma mère ne sait préparer que les pâtes au beurre. – **h.** Nous n'avons pas encore pris nos billets pour le spectacle de danse. **i.** – Rien n'a été fait pour que la fête soit parfaite.

page 8
Activité 6

a. Je ne fais mes courses qu'à La Louve. – **b.** Elle ne regarde que les émissions de cuisine à la télé. – **c.** Tu n'as besoin que de farine et d'eau pour faire du pain. – **d.** Je ne range mon appartement qu'une fois par semaine. – **e.** Marc ne mange que des mandarines en hiver. – **f.** Marguerite Duras n'a écrit que des romans.

Activité 7

a. **in**juste – **b.** **im**possible – **c.** **ir**respectueux – **d.** **il**logique – **e.** **ir**régulière – **f.** **im**buvable

page 9

Vocabulaire **Activité 1**

Exemple : bas – tire = bâtir

a. sur – fa – ce = surface
b. a – sans – sœur = ascenseur
c. a – par – te – ment = appartement
d. ré – de – chaud – ses : rez-de-chaussée

Activité 2

copropriété – tapage nocturne – gardien – bruit – colocataires – convivialité – intimité

Activité 3

a. 4. – b. 1. – c. 5. – d. 2. – e. 3.

page 10

Compréhension orale

1 une publicité – **2** cherchent un logement – **3** 2 millions – **4** Il fait froid. – Les voisins sont bruyants. – **5** partager des informations sur des logements – **6** les anciens habitants d'un logement – **7** les quartiers – les logements – **8** Il est sûr de dormir sur ses deux oreilles.

page 11

Production écrite

Proposition de corrigé :
Mûr-de-Bretagne, le 13 février 2018
Madame le Maire,
Je m'adresse à vous car je trouve dommage que nous n'ayons jamais organisé de Fête des voisins dans notre ville. La population a beaucoup augmenté ces dernières années dans notre commune et il me semble qu'un tel événement ne pourrait avoir que des résultats positifs pour tous.
En effet, la Fête des voisins est un moment de convivialité, d'échange et de bonne humeur pour rencontrer les habitants de notre quartier dont nous ignorons souvent le nom.
Nous pourrions proposer des activités conviviales et ludiques, par exemple une kermesse, une course à pied. Les associations de la ville pourraient installer des stands dans les halles du marché pour se faire connaître. Et enfin, nous pourrions organiser un grand pique-nique dans le parc municipal où tout le monde pourrait se retrouver et ainsi faire connaissance.
Je pense qu'instaurer une telle tradition peut améliorer le vivre-ensemble et favoriser la bonne ambiance dans notre ville. J'espère que vous serez sensible à mes arguments.

Je vous prie d'agréer, Madame le Maire, l'expression de mes salutations distinguées.
Jean Dubon

page 12
Préparation au DELF B1
Production orale
Production libre

Unité 2 page 13
Grammaire Activité 1
• Passé composé : **a.** – **b.** – **e.** – **h.**
• Imparfait : **c.** – **d.** – **f.** – **g.**

Activité 2
s'est douchée – s'est habillée – a pris – s'est préparée – a bu – est allée – est rentrée – a mangé – a fait – a téléphoné – a répondu – s'est endormie

Activité 3
a. suis arrivé(e) – pleuvait – a plu – **b.** dormais – appelé(e) – **c.** faisait – sommes allé(e)s – **d.** ai vu – était – **e.** a rencontré – avait – **f.** avait – est devenu – **g.** n'est pas venu – avait

page 14
Activité 4
avait – pouvais – était – est arrivé – j'ai hésité – m'a poussé/me poussait – s'est mis – j'ai vu – n'étais plus – était fait – j'ai enfin réussi

Vocabulaire Activité 1
Intrus : **a.** souvenirs – **b.** tribu – **c.** génération – **d.** séparation

Activité 2
1. b. – 2. a. – 3. e. – 4. g. – 5. d. – 6. c. – 7. f.

page 15
Activité 3
Vrai : **b.** – **e.** – **f.** – Faux : **a.** – **c.** – **d.**

Activité 4
a. 3. – **b.** 4. – **c.** 1. – **d.** 5. – **e.** 2.

Phonétique Activité 1
a. Colmar – Mulhouse – **b.** aventure – hiver – **c.** primaire – collège – **d.** mariage – célibataire – **e.** échanges – fous rires

Activité 2
Voir transcription, p. 123.

page 16
Grammaire Activité 1
a. On s'est connus il y a dix ans. – **b.** Tu regardes la télé depuis trois heures ! – **c.** Ils l'ont adopté il y a

quelques jours. – **d.** Ça fait combien de temps qu'ils sont mariés ? – **e.** Il n'a pas adressé la parole à son père depuis un mois. – **f.** Ça fait trois ans que ma fille me pose des questions. – **g.** Je n'ai plus écrit à ma sœur depuis plusieurs semaines. – **h.** Ils ont bien changé en quelques années. – **i.** Elle m'a appelé pendant que je préparais le petit déjeuner.

Activité 2
a. il y a – **b.** en – **c.** pendant – **d.** dans – **e.** pendant – **f.** pendant – **g.** Depuis – **h.** en – **i.** il y a – **j.** il y a

page 17
Activité 3
a. 7. – **b.** 9. – **c.** 1. – **d.** 3. – **e.** 8. – **f.** 5. – **g.** 2. – **h.** 4. – **i.** 6.

Activité 4
il y a – au début de – à la fin de – pendant – pendant – depuis – En – entre – Depuis – Dans/Pendant

Activité 5
« Se » représente un COD : se rencontrer – se voir – se quitter – s'inscrire – se perdre – s'excuser – se disputer
« Se » représente un COI : se demander – s'écrire – se parler – se plaire – se dire – se sourire

page 18
Activité 6
se souvenir – s'absenter – s'efforcer – s'obstiner – se moquer – se méfier

Activité 7
a. Oui, il s'est bien amusé aussi. – **b.** Oui, elle s'est ennuyée à la soirée de Renaud aussi. – **c.** Oui, je me suis dépêché(e) pour arriver à l'heure ce matin aussi. – **d.** Oui, nous nous sommes couchés très tard aussi. – **e.** Oui, ils se sont mis au travail à sept heures aussi. – **f.** Oui, elles se sont réveillées tard aussi. – **g.** Oui, elle s'est mise en blanc pour l'occasion aussi.

Activité 8
a. Nous nous sommes retrouvé(e)s et nous ne nous sommes plus quitté(e)s. – **b.** Ils se sont souri et ils se sont plu au premier regard. – **c.** Nous nous sommes rencontré(e)s et nous nous sommes entendu(e)s tout de suite. – **d.** Elles se sont séparées et elles se sont perdues de vue. – **e.** Nous nous sommes téléphoné et nous nous sommes parlé longuement. – **f.** Elle s'est inscrite sur un site de rencontre et elle s'est mise à la recherche de l'âme sœur. – **g.** Ils

se sont trouvés et ils ne se sont jamais disputés. – **h.** Elles se sont écrit et elles se sont menti pendant plus de deux mois.

page 19
Vocabulaire Activité 1
a. attente (f.) – **b.** crainte (f.) – **c.** désir (m.) – **d.** envie (f.) – **e.** espoir (m.) – **f.** manque (m.) – **g.** inquiétude (f.) – **h.** rire (m.)

Activité 2
b. 1. – **c.** 3. – **d.** 4. – **e.** 1. – **f.** 1. – **g.** 2. – **h.** 5. – **i.** 4.

Activité 3
a. sauvegarder – **b.** Skyper – logiciel – **c.** jeux en ligne – **d.** pseudonyme – réseaux – **e.** application – **f.** album de photos numériques – **g.** outil informatique – garder le contact

Activité 4
a. s'obstiner – **b.** suffisamment – **c.** se résoudre – **d.** conclusion – **e.** têtu – **f.** avis – **g.** judicieux – **h.** assumer

pages 20-21
Compréhension écrite
1 Plus d'un senior sur deux est isolé dans les grandes villes. – **2** L'idée est de mettre en relation des personnes âgées qui acceptent de préparer un déjeuner pour des étudiants et de les recevoir. – **3** D'un côté, il y a des personnes âgées qui souffrent de solitude et de l'autre, des étudiants sans argent qui se nourrissent mal. – **4** Préparer aux étudiants des plats qu'ils ne mangent pas au quotidien et rester dans le bain des jeunes. – **5** Manger au restaurant universitaire manque d'humanité. Pour manger mieux. – **6** Discuter sur comment devrait être le monde. – **7** Aux dîners, aux apéritifs et à des ateliers culinaires. – **8** La cuisine favorise de belles rencontres. – **9 a.** Faux (entre 4 et 7 euros le repas) / **b.** Vrai

page 22
Détente
1 a. Andrée Chedid est la mère de Louis Chedid et la grand-mère de Matthieu Chedid. / Louis Chedid est le fils d'Andrée Chedid. / Matthieu Chedid est le fils de Louis Chedid. / Matthieu Chedid est le petit-fils d'Andrée Chedid. – **b.** Jean-Pierre Dardenne est le frère de Luc Dardenne. / Luc Dardenne est le frère de Jean-Pierre Dardenne. – **c.** Vanessa Paradis est la mère de Lily-Rose Depp. / Lily-Rose Depp est la fille de Vanessa

Paradis. – **d.** Isabelle Adjani est la tante de Zoé Adjani-Vallat. / Zoé Adjani-Vallat est la nièce d'Isabelle Adjani.
2 a. Mon **Père** est femme de ménage – **b.** Le Château de ma **mère** **c.** Les **Enfants** terribles – **d.** La **Cousine** Bette – **e.** Son **Frère** – **f.** L'Autre **Fille** – **g. Papa** doit manger – **h.** Deux **Sœurs**

Unité 3 page 23

Grammaire Activité 1
a. qui – **b.** que – **c.** où – **d.** dont – **e.** dont – **f.** où – **g.** qui – **h.** que – **i.** où – **j.** où – **k.** qui

Activité 2
a. dont – **b.** dont – **c.** que – **d.** dont – **e.** dont – **f.** que – **g.** que – **h.** dont – **i.** dont – **j.** que – **k.** dont

page 24

Vocabulaire Activité 1
a. journaliste – **b.** webmaster – **c.** informaticien – **d.** consultant

Activité 2
a. nomade digitale – **b.** au chômage – **c.** traducteur – **d.** photographe – **e.** en congé

Activité 3
A **a.** une usine – **b.** un cabinet d'architecture – **c.** un atelier – **d.** un espace de coworking – **e.** un bureau – **f.** une entreprise – **g.** un espace de cohoming
B Proposition de corrigé :
Dans toutes ces professions, les personnes aménagent leurs horaires, définissent des plages de travail, assistent à des réunions, échangent sur un projet, fournissent un service, du matériel, partagent des contacts, passent des coups de fil, rencontrent des gens, font une pause-déjeuner.
Dans une usine, les ouvriers exercent un travail manuel (en général). Ils échangent sur un projet (sur la photo). Dans un cabinet d'architecture, un architecte fait des calculs (sur la photo). Il dessine des plans, supervise la construction des bâtiments (en général). Dans un atelier, un artiste peintre réalise des peintures. Dans un espace de coworking / cohoming, les travailleurs indépendants travaillent à leur compte, installent leur ordinateur sur un coin de table, font du réseau. Dans un bureau, un professeur prépare ses cours, un étudiant révise, installe son ordinateur sur un coin de table et fait des recherches sur Internet.

Dans une entreprise, des cadres, des chargés de projets travaillent à plein temps ou à temps partiel…

page 25

Phonétique
a. Qu'il parte ! – **b.** Qu'il vive ! – **c.** Qu'il lise ! – **d.** Qu'il boive ! – **e.** Qu'il réfléchisse ! – **f.** Qu'il réponde ! – **g.** Qu'il sorte ! – **h.** Qu'il dorme !

page 26

Grammaire Activité 1
Intrus : À moi – À mon tour – À vos souhaits

Activité 2
a. Il trouve que tu corresponds bien au profil de l'annonce. – **b.** Ils pensent que vous n'avez pas assez d'expérience. – **c.** Ma mère était sûre que je n'avais pas bien préparé mon entretien d'embauche. – **d.** Je me disais que je quitterai mon job sans hésiter. – **e.** Le recruteur pensait qu'Emma était trop qualifiée pour ce poste ! – **f.** Il me semble que tu devrais faire une formation. – **g.** Ses professeurs pensent que faire un stage de six mois en entreprise est nécessaire.

Activité 3
a. modèle A – **b.** modèle B – **c.** modèle A – **d.** modèle A – **e.** modèle B.

page 27
Activité 4
Je trouve que – Je crois que – je me dis que – il me semble que – je pense que – j'ai l'impression que

Activité 5
Proposition de corrigé :
a. À mon avis, c'est faux. Il faut bien se renseigner sur l'entreprise pour ne pas rester sans voix devant le recruteur et échanger avec lui, montrer que le poste nous intéresse. Il faut préparer des questions afin de ne pas se sentir déstabilisé durant l'entretien. – **b.** J'ai l'impression que cela dépend du secteur d'activité. Je crois que les jeunes diplômés s'expatrient beaucoup plus qu'avant, faute de trouver un bon travail en France. De plus, il faut parfois accepter des petits boulots avant de trouver un bon emploi. – **c.** D'après moi, quand le travail est routinier et peu qualifié, les chances d'y trouver du bonheur sont plus faibles que dans un travail qui est vécu comme une

passion. – **d.** Je trouve que l'idée de partager une aventure commune en famille est belle mais cela peut créer beaucoup de tensions aussi ! – **e.** Pour moi, il est certain que c'est indispensable car l'anglais est la langue la plus utilisée dans le monde du travail ainsi que pour la communication internationale.

Activité 6
a. Henri a allumé son portable pour/ afin d'être joignable. – **b.** J'accepterai ce nouvel emploi pour/afin d'avoir une augmentation de salaire. – **c.** Il parle fort pendant la réunion pour que/afin que tout le monde puisse l'entendre. – **d.** Luc m'a prêté sa voiture pour que/ afin que j'aille à mon rendez-vous professionnel plus facilement. – **e.** Il a fait une formation pour/afin de changer de travail. – **f.** Il a acheté un ordinateur portable à sa fille pour que/afin qu'elle fasse du télétravail. – **g.** Il me donne des conseils pour que/afin que je réussisse les tests de sélection. – **h.** Anissa prend un taxi pour/afin de ne pas être en retard à son rendez-vous. – **i.** Elle lui a laissé sa carte de visite pour que/afin qu'il sache où la joindre. – **j.** Julia doit bien préparer son entretien d'embauche pour/afin de pouvoir décrocher le job.

page 28
Activité 7
a. 6. – **b.** 4. – **c.** 5. – **d.** 2. – **e.** 7. – **f.** 1. – **g.** 3.

Activité 8
Proposition de corrigé :
a. *Je travaille dans un espace de coworking afin de rencontrer des gens de divers horizons.* – **b.** *Il fait appel à une agence de recrutement dans le but de trouver un candidat compétent et expérimenté.* – **c.** *Elle met en avant ses compétences sur son CV de manière à attirer l'attention des recruteurs.* – **d.** *Zoé souhaite faire un stage dans cette entreprise pour découvrir le monde du marketing et de la communication.* – **e.** *Il développe son réseau professionnel en vue de trouver de nouveaux clients.* – **f.** *Elle démissionne dans l'intention de changer d'orientation professionnelle.* – **g.** *Il travaille au noir de façon à ne pas payer d'impôts.* – **h.** *Il veut décrocher un CDI afin que son fils puisse reprendre ses études.* – **i.** *Je vais prendre quelques jours de congé pour que ma famille et moi partions découvrir le Mont-Saint-Michel.*

page 29

Vocabulaire Activité 1

Intrus : **a.** SOS emploi / Emploi service – **b.** licencie / renvoie – **c.** démissionner / prospecter – **d.** de raccrocher / d'accrocher – **e.** d'amour / de remerciement – **f.** les agences / les lettres – **g.** recruter / reculer

Activité 2

a. Il est un travailleur acharné. – **b.** Elle est autonome. – **c.** Il a le sens des affaires. – **d.** Il a l'esprit d'entreprise. – **e.** Elle est polyvalente. – **f.** Elle a l'art du compromis. – **g.** Il est un touche à tout. – **h.** Il a un point faible.

page 30

Compréhension orale

1 un extrait d'émission de radio – **2** la gestion de service internet – **3** Vrai : produits frais à la cafétéria, salle de billard, coin repos et une salle de sport – **4** Il apprécie ce mode de vie au travail car il y a parfois beaucoup de pression, beaucoup d'exigence, et par moment, ça lui fait du bien de sortir de ce cadre-là, de faire autre chose, de se vider la tête pour reprendre le service en pleine forme. – **5** On y trouve des plats élaborés par un traiteur. C'est un service bienvenu quand on travaille dans une zone industrielle excentrée. – **6** Les espaces de travail sont lumineux, et les bureaux vastes et aérés. – **7** Selon la direction, il y a deux fois moins d'absentéisme comparé à la moyenne nationale, et un nombre de démissions nettement inférieur à celui du secteur. – **8** Faux : ce genre d'initiative progresse en France, mais reste encore minoritaire.

page 31

Production écrite

Proposition de corrigé :
Bonjour,
Le télétravail comporte plusieurs avantages, mais également certains inconvénients.
En ce qui me concerne, travailler chez moi m'a permis de concilier vie privée et vie professionnelle. J'évite les longs trajets pour me rendre au bureau et je peux ainsi profiter de mes enfants le matin et le soir. De plus, je suis mieux concentré que dans mon ancienne boîte car travailler en open space était très bruyant. Par ailleurs, le travail à domicile m'a permis de faire des économies, en particulier les coûts liés aux transports.

Par contre, au début, je me laissais vite déborder par la vie domestique (faire le ménage, préparer le dîner à l'avance…). Il faut donc faire attention, car souvent, il n'y a plus de frontière entre le travail et la maison. On se met vite à travailler les week-ends, la nuit ou en vacances ! Alors, je vous conseille de vous organiser avec un planning bien défini. Vous aurez ainsi de meilleures chances d'être productif. À mon avis, le télétravail nécessite une excellente organisation !

page 32

Préparation au DELF B1

Compréhension de l'oral

1 décrit les effets du travail en horaires décalés sur la vie des salariés – **2** Professions au choix parmi les suivantes (0,5 point par réponse) : médecins de nuit, travailleurs à la chaîne, chauffeurs de taxi, veilleurs de nuit, réceptionnistes. – **3** l'effet cumulé de la fatigue dû au manque de sommeil – **4** Les employés bénéficient de plus d'indépendance (*ou* les employés ont plus d'indépendance) et ont plus de responsabilités. – **5** de passer plus de temps avec ses enfants – **6** C'est de ne pas travailler en horaires décalés pendant trop longtemps *ou* savoir s'arrêter à temps (quand on a le choix).

Unité 4 page 33

Grammaire Activité 1

a. peut – **b.** aies – **c.** fera – **d.** soit – **e.** ira – **f.** suis certaine – **g.** probable – **h.** ne pense pas – **i.** J'ai l'impression – **j.** Vous croyez

Activité 2

a. Je ne trouve pas que la directrice de l'école s'habille toujours avec élégance. – **b.** Je me doute que ces chaussures doivent coûter très cher. – **c.** Je ne pense pas qu'il y ait trop de boutiques de mode dans ma rue. – **d.** Je pense que ce vendeur ne donne pas de très bons conseils vestimentaires. – **e.** Je ne suis pas certain(e) que ces vêtements soient toujours tendance l'année prochaine. – **f.** Je ne suis pas persuadé(e) que les habits en matières synthétiques puissent supporter beaucoup de lavages. – **g.** Je ne crois pas que les magasins du centre-ville ouvrent le lundi. – **h.** Il est possible que mes parents veuillent nous accompagner au défilé de mode. – **i.** Il

est probable que la voisine me donne des conseils pour repriser mes vieux pantalons.

page 34
Activité 3

Proposition de corrigé :
Je ne suis pas certain(e) que ce soit une bonne idée de porter une casquette à un mariage. Il me semble que tu peux mettre une cravate au bureau. J'ai l'impression que ce pantalon ne sera pas pratique pour aller au club de gym. Il est certain que des lunettes de soleil ne sont pas très utiles dans un club de gym. Je suis sûr(e) qu'on peut s'habiller comme on veut pour aller dans ce magasin. Il est probable que des chaussures à talons sont le meilleur choix pour aller avec une robe à un mariage.

Vocabulaire Activité 1

a. 3. – **b.** 8. – **c.** 6. – **d.** 7. – **e.** 1. – **f.** 4. – **g.** 2. – **h.** 5.

page 35
Activité 2

a. cuir – **b.** tissu synthétique – **c.** écoresponsable/durable – **d.** coton – **e.** soie – **f.** vêtement biodégradable

Activité 3

a. acheter sur un site/commander sur Internet – **b.** le sac à main – **c.** le créateur de mode/le styliste – **d.** l'achat raisonnable/réfléchi – **e.** la garde-robe – **f.** faire les soldes

Phonétique A et B

a. J'ai‿été‿étonné‿et surpris par sa tenue‿en tissu végétal. (4 enchaînements)
b. J'ai‿étudié‿et‿apprécié le système de financement participatif. (3)
c. Le milieu‿associatif a‿eu‿une initiative citoyenne. (3)
d. Tu‿as‿entendu parler de l'économie‿écoresponsable ? (3)
e. Ce tissu‿est‿aussi bio‿et‿équitable. (4)
f. Les clients‿en boutique ont souvent‿autant de rabais qu'ailleurs. (2)
g. Il a‿aimé‿Edimbourg et‿a‿eu‿autant de plaisir à‿aller‿à‿Aix-en-Provence. (8)

page 36

Grammaire Activité 1

a. autant – **b.** aussi – **c.** mieux – **d.** moins – **e.** plus de – **f.** plus – **g.** pire – **h.** meilleurs – **i.** autant

Activité 2

a. moins – **b.** plus de – **c.** le plus –
d. plus – **e.** mieux – **f.** la meilleure /
la pire – **g.** aussi – **h.** autant de

Activité 3

a. Jean est plus écoresponsable
que Steve quand il fait ses achats. –
b. Noémie a eu moins de chance que toi
pendant les soldes. – **c.** Mon chapeau
est aussi joli que le tien. – **d.** Martin va
plus souvent que moi dans les boutiques
de mode. – **e.** J'ai autant de robes que
de pantalons. – **f.** C'est plus économique
de faire les soldes dans les magasins
que d'acheter sur Internet. – **g.** Georges
a autant de mal que moi à se décider
quand il achète des chaussures.

page 37
Activité 4

Proposition de corrigé :
*Le pull jacquard est moins neuf que le
pull noir. La polaire est plus usée que
le pull noir. Le pull jacquard est plus
chaud que les autres pulls car il est en
cachemire. Les bottines sont moins
confortables que les baskets. Les tongs
sont les chaussures les moins chères.
Les santiags sont les plus grandes. Les
bottines sont plus élégantes que les
baskets. Les tongs sont plus pratiques
que les baskets pour aller à la plage.*

Activité 5

a. petite épicerie – **b.** belle chemise –
c. robe rouge – **d.** anciens vêtements –
e. nouvelle voiture – **f.** dernière fois –
g. samedi prochain

page 38
Activité 6

a. de – **b.** des – **c.** de – **d.** des – **e.** des –
f. de – **g.** de – **h.** des

Activité 7

a. Cette histoire est bizarre. – **b.** Ce
monument est célèbre. – **c.** Cette
famille a des difficultés financières. –
d. Cet écrivain a publié une œuvre
remarquable. – **e.** C'est un personnage
étrange. – **f.** Cette boutique m'appartient.

Vocabulaire   Activité 1

Marc : consommateur – petits
commerçants – droguerie –
Jean-Pierre : grande distribution –
Marc : consommation de masse –
hypermarchés – rayons – **Jean-Pierre :**
locavore – **Marc :** décroissance
économique – gestes anti-conso –
Jean-Pierre : échange de service –
Marc : économie de partage

page 39
Activité 2

a. 4. – **b.** 3. – **c.** 1. – **d.** 5 – **e.** 2

pages 40-42
Compréhension écrite

1 Les tutoriels permettent d'apprendre
à réaliser des projets quand on ne sait
pas comment faire. – **2** très détaillées –
3 utilisent des tutoriels – **4** on peut
créer quelque chose – on acquiert de
nouvelles compétences – **5** le degré
de facilité – le coût de réalisation du
projet – **6** montrer ce que l'on a réalisé –
partager son opinion sur les tutoriels
et les créations – donner des idées
pour perfectionner les tutoriels et les
créations. – **7** Anne prend du plaisir à
donner une seconde vie aux objets. –
8 Il est vraiment personnalisé. – Il est
plus adapté à celui qui l'a fabriqué.

page 42
Détente

• Horizontal : **1** écoconsommateur –
2 carte – **3** crise – **4** monnaie –
5 troquer – **6** portefeuille
• Vertical : **a** caddie – **b** mercerie –
c participatif – **d** espèces – **e** artisan –
f blé

Unité 5   page 43
Grammaire   Activité 1

• Passé composé : **a.** – **c.** – **f.** – **g.** – **i.**
• Plus-que-parfait : **b.** – **d.** – **e.** – **h.** – **j.**

Activité 2

a. étions déjà parti(e)s – **b.** avais déjà
perdues – **c.** avait montré. – **d.** s'étaient
fâchés – **e.** s'étaient rencontrés – **f.** avait
travaillé – **g.** s'était déjà trompé

Activité 3

Proposition de corrigé :
a. Retard : … *et tu ne t'étais pas réveillé.*
b. Voyage : … *car nous l'avions bien
préparé / nous nous y étions préparés.*
c. Protestation : … *car personne ne les
avait consultés.*
d. Spectacle annulé : … *car l'artiste
n'avait pas pu venir.*
e. Succès : … *car il avait reçu un prix
littéraire.*
f. Examen d'admission réussi : … *car il
avait beaucoup révisé.*
g. Choix de langue étrangère : … car
*mes grands-parents m'avaient parlé
cette langue quand j'étais petit(e).*

page 44
Vocabulaire   Activité 1

grève – provoquée – protestent –
revendiquent – ennemis – menacent –
manifesterons –mécontentement

Activité 2

a. 3. – **b.** 5. – **c.** 1. – **d.** 2. – **e.** 4.

page 45
Activité 3

• Horizontal : **1.** déstabilisant – **2.** estimer
• Vertical : **a.** formidable –
b. déboussolé – **c.** adéquat –
d. accueillant – **e.** terne – **f.** fier

Phonétique

1 Liaisons : **a.** – **c.** – **d.** – **g.**
Pas de liaisons : **b.** – **e.** – **f.** – **h.**
2 île + haie + tente + ré = Il est entré.

page 46
Grammaire   Activité 1

a. m'y intéresse – **b.** nous en servons
souvent – **c.** les y emmenons – **d.** s'en
est occupé – **e.** s'y sont habitués –
f. m'en as parlé – **g.** nous y installons

Activité 2

[…] Je m'**y** (aux *Franglaises* à Bobino)
suis rendu ce week-end sans vraiment
savoir de quoi il s'agissait. Le principe **en**
(des *Franglaises*) est simple : traduire mot
à mot en français le texte des grandes
chansons pop du répertoire anglo-saxon.
Cette traduction, parfois absurde, a un
effet humoristique. Je ne m'**y** (à cet effet
humoristique) attendais pas du tout. Moi
qui pensais assister à un concert sérieux,
j'ai vite compris mon erreur ! Je m'**en**
(de mon erreur) suis rendu compte dès
le premier tube – une célèbre chanson
de Michael Jackson. Les paroles **en** (de
la célèbre chanson de Michael Jackson)
étaient bizarres. Quand je m'**en** (des
paroles bizarres de la célèbre chanson
de Michael Jackson) suis aperçu, je ne
savais pas si je devais rigoler ou pleurer.
À vrai dire, cet effet comique est très
surprenant. Je n'**y** (à cet effet comique)
étais pas préparé. Mais tout le public riait
de bon cœur. Alors, moi aussi, je m'**y** (à
rire de bon cœur) suis mis ! Le lendemain
mon ami m'a téléphoné pour poser
des questions sur le spectacle. J'**en** (du
spectacle) ai parlé à mon ami pendant au
moins une heure.

page 47
Activité 3

a. Non, ne m'en apporte pas ! – **b.** Non,
ne m'en parle pas ! – **c.** Non, ne t'en va

pas ! – **d.** Non, ne m'en donne pas ! – **e.** Non, ne m'en pose pas !

Activité 4
a. avant de – **b.** une fois que – **c.** depuis que – **d.** jusqu'à ce que – **e.** Après – **f.** avant que – **g.** après qu' – **h.** la première fois que – **i.** avant – **j.** après

page 48
Activité 5
a. Avant de – **b.** Après – **c.** après – **d.** après – **e.** Avant de – **f.** avant de – **g.** après – **h.** Avant de – **i.** avant d'

Activité 6
Proposition de corrigé :
Bonjour Florence,
Quelle bonne nouvelle ! Avant de répondre à tes questions, je dois dire que j'ai adoré étudier le chinois, c'est une très belle langue.
Une fois que tu seras inscrite au cours, pense à acheter rapidement la méthode que tu vas utiliser, un ou deux cahiers et un classeur pour organiser tes documents. Et puis, demande où le cours a lieu pour ne pas perdre de temps à chercher la salle la première fois que tu viendras. Après que tu auras les informations sur le lieu et l'horaire du cours, tu te sentiras déjà plus rassurée. C'est important d'être attentive en classe et de bien écouter pendant que le professeur parle, même si on ne comprend pas tout. Tu sais que le chinois est très différent du français. Il

pages 51-52
Préparation au DELF B1
Compréhension des écrits

	Texte 1		Texte 2		Texte 3		Texte 4	
	Oui	Non	Oui	Non	Oui	Non	Oui	Non
Longueur		X	X			X	X	
Langue	X		X			X	X	
Auteur(e)	X			X	X		X	
Personnage célèbre	X			X	X		X	
Lieu de rencontre		X		X	X	X	X	

Gagnant : texte 4. Seulement un verre d'eau.

Unité 6 page 53
Grammaire **Activité 1**
a. développer : le développement – **b.** diffuser : la diffusion – **c.** décoller : le décollage – **d.** télécharger : le téléchargement – **e.** se réorganiser : la réorganisation – **f.** transformer : la transformation – **g.** réunir : la réunion

faut essayer d'imiter la « musique » de cette langue. Ce n'est pas seulement une question de grammaire, comme tu vois ! Répète les mots nouveaux jusqu'à ce que tu les mémorises, c'est simple et efficace. Chaque fois qu'on te donne un devoir, prends bien des notes et travaille régulièrement chez toi aussi.
Tu peux bien sûr toujours m'écrire ou m'appeler pour d'autres conseils. Bientôt on communiquera en chinois !
Bises,
Joe

page 49
Vocabulaire **Activité 1**
a. 3. – **b.** 6. – **c.** 4. – **d.** 7. – **e.** 2. – **f.** 1. – **g.** 5.

Activité 2
grises – humble – mystérieux – fasciné – communautés – interprète – couramment – barrière de la langue – préjugés – réciproque – harmonieux – respecte

page 50
Compréhension orale
1 des différences régionales entre les mots – **2** C'est un linguiste. – **3** comment on appelle un crayon dont on se sert pour écrire sur du papier – **4** fait des cartes de France – **5** une wassingue – une patte – une pièce – **6** belge

Activité 2
a. Les lecteurs apprécient la gratuité de l'édition numérique de *La Presse*.
b. La méchanceté de cet internaute est insupportable.
c. Le calme de la directrice de ce journal est appréciable.
d. La curiosité de ce reporter me dérange.

e. Les lecteurs ne vont pas apprécier la violence de cet éditorial.
f. La surinformation m'angoisse.
g. Je ne comprends pas l'étrangeté de cette interview.

page 54
Activité 3
a. Victoire de l'équipe de France féminine de handball – **b.** Manifestation d'étudiants – **c.** Nettoyage de plage / Collecte de déchets – **d.** Destruction d'un immeuble – **e.** Illumination de l'Arc de Triomphe – **f.** Candidature de Paris aux Jeux olympiques de 2024 / Organisation des JO à Paris en 2024

Vocabulaire **Activité 1**
a. un compte rendu sportif – **b.** une critique – **c.** une chronique – **d.** un portrait – **e.** un reportage

page 55
Activité 2
les canaux d'information – être submergé par – un flot continu – hyperconnectée – surinformation – digérer – les chaînes d'information – les réseaux sociaux

Phonétique   Voir transcription, p. 126.

page 56
Grammaire **Activité 1**
a. Simone Fontaine a écrit cet article. – **b.** Une édition numérique remplacera l'édition papier. – **c.** De nombreux faits divers sont publiés dans ce magazine. – **d.** Une enquête sur les habitudes alimentaires des Français sera réalisée par ce journaliste. – **e.** On a publié un portrait de Marina Foïs dans *Libé*. – **f.** La photo du président a été mise en couverture – **g.** Le juge va interroger le témoin. – **h.** Cette information a été diffusée à la radio ce matin. – **j.** Un cycliste a renversé un piéton.

Activité 2
Une tortue géante nageant tranquillement dans la Seine **a été vue** par un promeneur sous le pont des Arts. – Un python royal de 1,30 m **a été repéré** par un touriste sur la branche d'un arbre du jardin du Luxembourg. Deux autres pythons **ont** également **été retrouvés** dans un square du Quartier Latin cet été ! – Plus modeste, un caméléon vivant **a été attrapé** dans une poubelle de la station de métro Saint-Michel. – Tout aussi surprenant, des pompiers qui intervenaient dans

l'appartement d'une dame âgée **ont été attaqués** par 23 chats. – Enfin, une policière **a été blessée**, **griffée** et **mordue** par des chiens dangereux à la gare du Nord.

page 57
Activité 3
a. affectueusement – **b.** parfaitement – **c.** amicalement – **d.** apparemment – **e.** certainement – **f.** publiquement – **g.** confidentiellement – **h.** fraîchement – **i.** franchement – **j.** premièrement – **k.** troisièmement – **l.** joyeusement – **m.** différemment – **n.** réellement

Activité 4
a. rarement – **b.** gratuitement – **c.** suffisamment – **d.** intensément – **e.** sérieusement – **f.** fréquemment – **g.** mystérieusement – **h.** attentivement – **i.** passionnément. – **j.** couramment

page 58
Activité 5
a. facilement – **b.** longuement – **c.** gentiment – **d.** bruyamment – **e.** malheureusement – **f.** négativement

Vocabulaire Activité 1
a. la presse féminine – **b.** un quotidien régional / la presse régionale – **c.** une revue littéraire – **d.** une revue d'art – **e.** un quotidien national / la presse nationale – **f.** un magazine sportif – **g.** un journal international / la presse internationale – **h.** la presse masculine

Activité 2
• Définition : protagonistes – témoignages – vérifier – relayer des informations
• Mission : faire la une – sources – attiser – accrocheurs

page 59
Activité 3
Nom : Mme Lecarpentier
Prénom : Héloïse
Nature de l'infraction : agression / vol d'un sac à main
Date de l'infraction : mercredi 22 septembre
Lieu de l'infraction : la station de métro Colbert à Lille
Résumé des faits : Madame Lecarpentier a été agressée dans le métro. Au moment où elle entrait dans le wagon, un homme lui a arraché son sac à main et s'est enfui. Le vol a eu lieu en quelques secondes et elle a été blessée au bras. Son sac contenait son portefeuille avec son passeport, sa carte bancaire, son portable, son agenda et un stylo d'une grande valeur.
Signalement du malfaiteur : un homme grand et blond avec une grande cicatrice sur la joue. Il portait un jean, un blouson en cuir noir, une casquette et des lunettes, peut-être âgé d'une trentaine d'années.
Fait à Lille, le 23 septembre

pages 60-61
Compréhension écrite
1 L'éducation aux médias et à l'information : une priorité dans une société ultra connectée – **2** Ils consultent des fils d'actualité Facebook et Twitter avant de se coucher et actualisent leurs mails dès la première gorgée de café. *Ou :* Ils se connectent à Internet avant de s'endormir et se reconnectent aussitôt réveillés. – **3** Vrai : l'explosion des pratiques numériques a profondément modifié le rapport et l'accès à l'information. – **4** Faux : les jeunes s'informent majoritairement via les réseaux sociaux. – **5** de la masse toujours plus importante d'informations présente sur le Web – **6** Les enfants, dès l'école primaire – **7** Parce que cela permet de lutter contre la manipulation et la désinformation. – **8** de construire leurs repères médiatiques – de gérer leur identité numérique – d'avoir un usage critique des médias – **9** Faux : 78 % des parents souhaitent des cours d'éducation aux médias en classe pour leurs enfants.

page 62
Détente
1 Elle a une bonne réputation. – **2** Elle fait la couverture du magazine *Gala*. – **3** La situation est sans espoir pour Zoé. – **4** Il fait parler de lui sur les réseaux sociaux. – **5** Ils sont populaires. – **6** Leurs opinions sont à l'opposé. – **7** Il est le sujet de toutes les discussions.

Unité 7 page 63
Grammaire Activité 1
a. elles paieront / payeront – **b.** il gèlera – **c.** vous rappellerez – **d.** j'amènerai – **e.** tu emploieras – **f.** ils achèteront – **g.** elle enverra – **h.** nous nettoierons

Activité 2
a. Il faudra trouver une autre solution. – **b.** Nous partirons en voyage de noces en septembre. – **c.** Vous prendrez le premier train. – **d.** Il y aura du monde sur la route. – **e.** On déménagera l'année prochaine. – **f.** Le guide viendra vous chercher à l'hôtel. – **g.** C'est lui qui vous accueillera.

Activité 3
a. Il y aura des éclaircies timides à Lille. – **b.** Il neigera légèrement à Lyon. – **c.** Il pleuvra à Brest. – **d.** Il y aura des orages à Bordeaux. – **e.** Le vent soufflera à Bastia. – **f.** Le temps sera ensoleillé à Marseille. – **g.** Le ciel restera couvert à Paris.

page 64
Activité 4
a. ne vont pas tarder – **b.** fait – **c.** vais voir – **d.** vais me coucher – **e.** arrive – **f.** va pleuvoir – **g.** arriveras – **h.** va rater – **i.** irons

Vocabulaire Activité 1
a. 7. – **b.** 5. – **c.** 1. – **d.** 8. – **e.** 3. – **f.** 6. – **g.** 4. – **h.** 2

Activité 2
a. auberge de jeunesse – **b.** complexe hôtelier – **c.** tente – **d.** gîte – **e.** village – **f.** habitant – **g.** maison

page 65
Activité 3
a. Un aller simple peut coûter jusqu'à trois fois plus cher qu'un aller-retour. – **b.** Faut-il prendre un vol direct ou un vol avec escale ? – **c.** Chaque fois qu'un voyageur entre dans un pays, même le sien, il doit passer la douane. – **d.** N'oubliez pas de composter votre billet avant de monter dans le train. – **e.** J'arrive à la gare du Nord et pour aller à Lyon, je dois changer de gare. – **f.** Le voyage organisé comprend habituellement le transport, l'hébergement et la restauration.

Activité 4
a. nuageuse – se gâtera – **b.** pluvieux – humide – **c.** ensoleillé – frais – **d.** orageux – **e.** se couvrira – sec

Phonétique Voir transcription, p. 127.

page 66
Grammaire Activité 1
Futur simple : **b.** – **d.** – **e.** – **h.**
Conditionnel présent : **a.** – **c.** – **f.** – **g.**

Activité 2
a. 4. – **b.** 10. – **c.** 5. – **d.** 6. – **e.** 9 – **f.** 3 – **g.** 8 – **h.** 1 – **i.** 7 – **j.** 2

Activité 3

a. dirait → 5 – **b.** aimerais → 1 – **c.** voudrais → 2 – **d.** redescendraient → 8 – **e.** partirions → 7 – **f.** pourrions → 3 – **g.** devrais → 6 – **h.** pourrais → 4 – **i.** voudrais → 1

page 67

Activité 4

a. refuserait – insistais – **b.** veniez – feriez – **c.** louerais – allais – **d.** accompagnerais – proposais – **e.** choisissiez – pourriez – **f.** prenions – arriverions – **g.** iraient – faisait

Activité 5

a. Si j'avais pu, j'aurais beaucoup voyagé.
b. S'il m'avait téléphoné, je lui aurais expliqué le chemin.
c. Si nous étions venu(e)s avant, nous aurions pu profiter du coucher de soleil.
d. Si j'étais allé(e) en France, je vous aurais envoyé une jolie carte postale.
e. Si tu étais parti(e) pour l'Italie, tu aurais appris l'italien.
f. S'il avait fait beau, nous nous serions promené(e)s dans le parc.
g. Si vous étiez venu(e)(s) avec nous, vous auriez pris connaissance de l'histoire du pays.

page 68

Activité 6

a. 4. – **b.** 3. – **c.** 2. – **d.** 5. – **e.** 1. – **f.** 2. – **g.** 1.

Activité 7

j'avais eu – j'aurais vendu – j'aurais parcouru – J'aurais appris – J'aurais goûté – J'aurais découvert – j'aurais aimé – serais peut-être devenu(e)

Vocabulaire   Activité 1

dans le mauvais sens – se déplacer – continuez tout droit – au bout de – en direction du – À l'angle de – en bas de – se garer

page 69

Activité 2

a. 2. – **b.** 5. – **c.** 7. – **d.** 6. – **e.** 3. – **f.** 4. – **g.** 1.

Activité 3

a. une offre de dernière minute – **b.** le covoiturage – **c.** un comparateur de prix – **d.** collaboratives – **e.** les coordonnées bancaires – **f.** un bon plan – **g.** le tourisme numérique

Activité 4

souscrire – en charge – frais – police d'assurance – se faire rembourser – couvre/couvrira – d'hospitalisation/de rapatriement *ou* de rapatriement/d'hospitalisation

page 70

Compréhension orale

1 l'été – **2** étonnant – rare – **3** une chapelle – **4** un salon, une cuisine et deux chambres – **5** architecte d'intérieur – **6** moins de 500 euros la semaine en pleine saison – **7** aux personnes qui souffrent du mal de l'air – **8** des avions – **9** 110 euros la nuit avec petit déjeuner – **10** une locomotive, un tramway, un ancien bus-discothèque, un wagon entier de train

page 71

Production écrite

Proposition de corrigé :
L'hiver dernier j'ai réalisé le voyage de mes rêves. J'ai fait le trajet Moscou-Vladivostok avec le train qu'on appelle le Transsibérien. 9288 kilomètres parcourus en huit jours !
J'ai voyagé dans un compartiment où on était quatre. On avait des draps, un matelas, un oreiller et une couverture. Les hôtesses de wagon faisaient régulièrement le ménage et c'était très propre. Une personne parlait anglais et on arrivait à communiquer. On s'échangeait de la nourriture, du jamais vu pour moi. Et puis, il y avait un wagon-restaurant où l'on pouvait très bien manger.
Je n'oublierai jamais ces paysages enneigés qui défilaient sous moins 40 degrés à travers la vitre du wagon. C'était extraordinaire !
J'ai fait une escale dans le sud de la Sibérie pour découvrir le lac Baïkal, dont la profondeur atteint 1 642 mètres. Une beauté à couper le souffle ! Et là, j'ai dormi chez l'habitant dans un véritable village avec ses maisons traditionnelles chauffées au poêle à bois.
Le lendemain, j'ai repris le Transsibérien jusqu'à Vladivostok pour rentrer à Paris en avion.

page 72

Préparation au DELF B1

Production écrite

Proposition de corrigé :
Salut François,
Si tu veux mon conseil, envole-toi pour l'Ukraine, un pays magnifique que j'ai découvert en juillet dernier. J'ai visité Kiev, Lviv et Odessa, une semaine dans chaque ville. En arrivant à l'aéroport de Kiev, j'ai pris un bus pour la gare et de là un train, direction Lviv située à l'ouest du pays. J'y ai savouré un café préparé à l'orientale. Je me suis promené(e) dans les rues pavées de la vieille ville et j'ai été surpris(e) de découvrir un peu partout des marchés improvisés. Départ ensuite pour Odessa. J'ai été frappé(e) par les espaces verts, les terrasses et la mer Noire. Je n'ai pas pu m'empêcher d'aller voir un spectacle à l'Opéra, unique par son architecture. Pour la fin de mon séjour, j'ai visité Kiev, la capitale. J'y ai découvert de très belles choses : les églises, la Porte d'Or… sans oublier la bonne cuisine.
Pour l'hébergement, j'ai loué un appartement dans chaque ville, c'est moins cher que les hôtels.
Si tu as des questions, n'hésite pas.
Bonnes vacances !
Amitiés,
Julien/Louise

Unité 8   page 73

Grammaire   Activité 1

• Suivis de la préposition *à* : réussir – continuer – participer – aider
• Suivis de la préposition *de* : se saisir – mériter – rêver – s'occuper – se débarrasser

Activité 2

a. Je continue à trier les déchets.
b. N'oublie pas de recycler les emballages.
c. La mairie envisage d'installer une boîte à partage.
d. Le bookcrossing peine à trouver son élan.
e. Nous essayons d'organiser une chasse aux livres.
f. Le papier ne mérite pas de finir à la poubelle.
g. Je rêve de partager l'expérience de voyage éco-solidaire.
h. Il a promis de préparer une pile de livres à donner.

page 74

Activité 3

Vous voulez vous débarrasser **de** ces livres qui prennent la poussière chez vous ? Vous n'osez pas entrer dans une bibliothèque ? Le système Troc'o livres aide **à** organiser des échanges entre amateurs de littérature par la poste. Club de lecture à distance, Troc'o livres permet d'échanger les ouvrages rapidement. Envoyé le lundi, votre colis arrivera dès le mardi. Deuxième avantage de Troc'o livres : vous partagez directement vos impressions grâce à la fiche *Vos appréciations* qui accompagne chaque envoi. Ainsi, même sans vous voir, vous créez des liens avec les autres membres et participez **à** des échanges riches et intéressants. Avec Troc'o livres vous réussirez enfin **à** faire de l'espace sur vos étagères et vous rencontrerez des amis !

Vocabulaire **Activité 1**

Intrus : **a.** textile – **b.** plastique – **c.** prospectus – **d.** pile – **e.** abandonner – **f.** jeter

Activité 2

a. 2 – **b.** 4 – **c.** 7. – **d.** 6

page 75

Activité 3

a. un bac à compost – broyer – les déchets verts – réutiliser – **b.** recyclé – tri sélectif – conteneurs – déchetterie – capsules de café – liège

Phonétique Voir transcription p. 127 :
• intonation montante : **c. – d. – f. – g.**
• intonation descendante : **a. – b. – e. – h.**

page 76

Grammaire **Activité 1**

a. En revenant dans mon village, j'ai revu mes amis d'enfance.
b. Nous militons contre le réchauffement climatique en distribuant des tracts.
c. En sachant que notre planète va mal, il faut défendre l'écologie.
d. Je participe au mouvement « zéro déchet » en faisant du recyclage.
e. Notre famille a décidé de vivre plus simplement en déménageant à la campagne.
f. Notre mairie se mobilise pour l'écologie en installant partout des poubelles de tri sélectif.
g. Les militants écologistes veulent sensibiliser le public en organisant une conférence sur le développement durable.

Activité 2

a. En réfléchissant – **b.** en voyageant – **c.** En sachant – en ayant – **d.** En commençant – **e.** en étant – **f.** en militant

page 77

Activité 3

Proposition de corrigé :

1. *En limitant les emballages, vous agissez sur la diminution de la quantité de déchets.*
2. *En produisant du compost, vous économisez 40 kg de déchets.*
3. *En utilisant un autocollant Stop Pub, vous recevez moins de publicité inutile dans votre boîte aux lettres.*
4. *En réparant ou en donnant vos appareils usagés, vous économisez de l'argent et vous diminuez la quantité des déchets.*
5. *En achetant en vrac, vous limitez également la quantité d'emballages.*
6. *En préférant les écorecharges, vous limitez la production de déchets.*
7. *En imprimant moins, vous protégez la nature.*
8. *En donnant vos anciens vêtements, vous faites preuve de solidarité.*
9. *En préférant les cabas et les sacs réutilisables, vous limitez la quantité de plastique qui pollue notre planète.*
10. *En adoptant les gestes alternatifs, vous dites stop au gaspillage.*

page 78

Activité 4

a. d'ailleurs : ajoute une nouvelle idée –
b. par exemple : illustre – **c.** d'une part, d'autre part : ajoute deux idées –
d. donc : exprime une conséquence –
e. d'abord : indique le début –
f. en résumé : introduit une conclusion –
g. de plus : ajoute une nouvelle idée –
h. ensuite : met en ordre

Activité 5

Proposition de corrigé :

a. *Pour arrêter la disparition de la banquise, il faut tout d'abord limiter la production des gaz à effet de serre.*
b. *Pour répondre aux défis écologiques, il faudrait par exemple reconnaître la réalité du réchauffement climatique.*
c. *La biodiversité est menacée, d'une part par la disparition des espèces, d'autre part par l'activité humaine.*
d. *Les énergies alternatives sont de plus en plus populaires. D'ailleurs, nous avons déménagé dans un immeuble qui possède des panneaux solaires.*
e. *Nous achetons uniquement des produits de saison, bio et locaux. Bref, nous sommes écoresponsables au quotidien.*
f. *Je voudrais partir vivre dans la nature. Donc, je me prépare à vivre en autonomie, en utilisant les ressources naturelles uniquement.*

page 79

Vocabulaire **Activité 1**

A

```
I W Y E Y L R S I P C F P B G
M N A S D N A R Y U X A V D C
P A L K C Y D G Y D A D C W F
A T Z B P Z I A E U B C N V A
C U H V D G O A X R N M R D C
T R N H M H A G C A F H O V I
W E T F A D C I O B V L X A I
H Y Z K Y S T X C L N C G C L
N O Q V H L I T S E P A G V F
H C Q C T E F D E C H E T S J
P T I N Z R S A T O X I Q U E
T U I Y Q K F H K X B A C L K
```

B Les déchets radioactifs ont un impact toxique durable sur la nature.

Activité 2

a. les gaz à effet de serre – **b.** gaspiller – **c.** un puits – **d.** un panneau solaire – **e.** végétaliser – **f.** la pollution – **g.** une éolienne – **h.** la biodiversité

pages 80-81

Compréhension écrite

1 déposer des objets utiles à ceux qui en ont besoin – **2** des couvertures et des vêtements – **3** Faux : au fond d'un square, dans un quartier résidentiel plutôt aisé – **4** Le gros manteau et la couverture qu'elle prend dans la boîte l'aident bien car elle n'a pas de chauffage à la maison. – **5** la Boîte utile – **6** La première boîte à dons (la Givebox) a été installée à Berlin au début des années 2010. – **7** Chacun est libre de déposer ce qu'il veut, mais l'objet doit être réutilisable. / N'importe qui peut prendre ce qu'il veut et quand il veut. / Il ne doit pas être question d'argent, on ne vend pas et on ne revend pas. – **8** les entretenir, les ranger, les nettoyer – **9** sur la page Facebook du réseau des Boîtes utiles et dans le journal *Ouest-France* – **10** une trouvaille (ligne 17)

page 82

Détente

1 une politique basée sur le respect des besoins des générations futures et pas seulement présents – **2** 10 000 litres d'eau par an – **3** une noix indienne, fruit du Sapindus Mukorossi – **4** le calcul de l'impact de l'activité humaine – **5** un sac en plastique – **6** San Francisco – **7** il faut aller à la déchetterie

Unité 9 page 83

Grammaire Activité 1

a. j'avais participé – **b.** organiserait – **c.** seraient – **d.** pouvait – **e.** sanctionneraient – **f.** faire – **g.** connaissions – **h.** risquais – **i.** prendrait

Activité 2

Le maire a dit que la municipalité avait constaté des infractions à la propreté de plus en plus fréquentes. **Il a demandé** si nous voulions continuer à vivre dans un environnement dégradé. **Il a annoncé** que c'était pourquoi ils allaient augmenter le montant des amendes. **Il a précisé que** si le nombre d'infractions diminuait, notre ville serait plus belle pour tous. **Il a ajouté** qu'ils avaient aussi décidé de mettre l'accent sur la transmission aux plus jeunes et qu'ils allaient organiser dans les écoles des campagnes de présentation des bons gestes à adopter. **Il a aussi dit** qu'ils feraient une distribution de sacs-poubelle afin que les enfants participent au tri des déchets avec leur professeur. **Il a finalement expliqué** qu'ils leur avaient également proposé de réaliser un spectacle de fin d'année sur cette thématique **et** que tout le monde serait invité.

page 84

Vocabulaire Activité 1

collectif – volontaires – retrousser – ramasser – poubelle – pinces – affiches – sensibilisation – lancer – éduquer – pratiques

Activité 2

a. le/la policier(ière) municipal(e) – **b.** les égouts – **c.** l'agent de nettoyage – **d.** un contrevenant – **e.** le travail d'intérêt général

page 85

Activité 3

D	E	C	H	E	T	A	F	Y	E	C	B	Q	H	Y
F	E	O	C	B	H	Y	M	E	B	O	U	E	U	R
D	H	N	U	I	L	K	B	C	E	R	Y	S	E	B
D	E	T	R	I	T	U	S	P	J	B	E	B	O	E
F	B	R	C	E	E	A	I	G	R	E	T	U	E	J
L	S	A	I	T	G	U	E	A	L	I	J	U	E	T
D	A	V	O	I	S	T	F	L	U	L	A	P	R	Y
T	Q	E	H	R	E	N	F	A	I	L	U	R	O	P
M	E	N	A	T	O	G	H	E	J	E	I	O	H	Q
X	N	T	S	E	R	U	I	F	A	C	R	P	R	E
B	Y	I	P	K	D	E	D	A	S	E	F	R	V	I
A	T	O	D	S	U	K	A	S	S	A	L	E	T	E
L	D	N	J	N	R	R	A	S	I	L	E	T	U	E
A	D	T	S	N	E	T	T	O	Y	A	G	E	F	A
I	T	G	E	R	S	I	S	B	R	E	N	D	E	U

page 86

Grammaire Activité 1

- Registre standard : **a.** – **c.** – **f.** – **h.** – **i.**
- Registre soutenu : **b.** – **d.** – **e.** – **g.** – **j.**

Activité 2

a. Pourquoi ont-ils retiré les poubelles dans le parc ? – **b.** Avec qui est-ce qu'ils vont faire la campagne d'information ? – **c.** Est-ce que vous avez vu les nouvelles affiches ? – **d.** Quand vont-ils installer la rampe d'accès ? – **e.** Tu connais le résultat de la consultation citoyenne ? – **f.** Où la municipalité va-t-elle poser le prochain mur végétal ? – **g.** De quoi tu parles ? – **h.** Vous avez trouvé ce guide sur quel site ? – **i.** Comment le maire veut-il durcir les mesures ?

Activité 3

a. Cette initiative va-t-elle être reconduite l'année prochaine ? – **b.** Le collectif a-t-il alerté la municipalité ? – **c.** À quelle date les fresques vont-elles être dévoilées au public ? – **d.** De quel artiste le directeur a-t-il parlé l'autre jour ? – **e.** L'espace public est-il réellement accessible à tous ? – **f.** Pourquoi le maire a-t-il repoussé la date ? – **g.** Le spectacle son et lumière est-il gratuit ? – **h.** Comment le public va-t-il réagir à l'arrivée du skatepark ? – **i.** Les habitants se sont-ils investis dans la campagne d'embellissement du quartier ? – **j.** Où les personnes âgées peuvent-elles aller pour avoir plus d'informations ?

page 87

Activité 4

a. Quand allez-vous mettre en place le projet ? – **b.** Avec qui avez-vous travaillé ? – **c.** Que présentez-vous ? – **d.** Ont-ils aimé la conférence sur l'égalité ? – **e.** Comment ont-elles rédigé le manuel ? – **f.** À qui cette brochure s'adresse-t-elle ? – **g.** Pourquoi voulez-vous effacer les fresques murales ? *(exemple de question)* – **h.** Les choses ont-elles évolué positivement ? – **i.** Combien y aura-t-il de points principaux repris dans votre charte du bien vivre-ensemble ? – **j.** Qui pourra participer à cette rencontre ? – **k.** Comment l'école a-t-elle financé ce programme culturel ?

page 88

Activité 5

a. quelques-uns – **b.** chacun – **c.** toutes – **d.** certains – **e.** aucun – **f.** tous – **g.** quelques-unes – **h.** aucune – **i.** chacune

Activité 6

toutes – certains – Quelques – tout – tous – aucune – chaque – chacune – chacun – Quelques-unes

page 89

Vocabulaire Activité 1

Intrus : **a.** bâtiment – **b.** galerie d'art – **c.** clandestin – **d.** éphémère – **e.** collage

Activité 2

a. 5. – **b.** 3. – **c.** 1. – **d.** 2. – **e.** 4.

Activité 3

a. spectacle son et lumière – **b.** rampe d'accès – **c.** panneau de signalisation – **d.** référendum – **e.** graffitis – **f.** végétalisation

page 90

Compréhension orale

1 La mairie propose aux Parisiens d'améliorer leur environnement grâce à un budget participatif. – **2** 500e projet – **3** Au choix parmi ces réponses : une aire de jeux pour les enfants, deux murs végétalisés, des pistes cyclables, la réhabilitation des kiosques dans les parcs, des bains-douches pour les sans-abris – **4** 100 millions d'euros chaque année – **5** Faux : les pouvoirs publics font le tri puis les citoyens votent pour choisir un projet. – **6** Habiter la ville – **7** Ces villes sont à l'avant-garde de ce genre de projet et se sont réunies sur une plateforme internationale.

page 91

Production écrite

Proposition de corrigé :
Madame, Monsieur,
Dans le cadre du budget participatif, j'aimerais présenter mon projet pour notre quartier.
Comme vous le savez déjà, nous vivons dans un quartier très jeune. Je pense donc qu'il serait important de créer un lieu de rencontre culturel et artistique pour la jeunesse, afin de consolider la cohésion de quartier, entre les élèves des écoles, mais aussi entre tous les habitants de manière générale.
À côté du parc il y a un vieux skatepark, et derrière, un espace fermé à l'abandon. Je trouve que c'est du gâchis de les laisser dans cet état.
Je pense que nous pourrions tout d'abord rénover le skatepark, en faisant participer les écoles du quartier à sa décoration, par exemple avec des fresques peintes.

Ensuite, l'espace fermé pourrait lui aussi être rénové et accueillir des associations culturelles. Ces associations pourraient proposer des activités quotidiennes aux jeunes, dans le but de faire un concert ou une exposition par exemple. Il me semble en effet que c'est essentiel que les jeunes puissent montrer leur talent ! Cordialement

page 92

Préparation au DELF B1

Production orale

Production libre

Unité 10 page 93

Grammaire Activité 1

a. car – **b.** Puisque – **c.** par conséquent – **d.** donc – **e.** grâce à – **f.** Étant donné – **g.** du coup – **h.** parce que – **i.** de sorte que

Activité 2

a. Il aura une bonne note **puisqu**'il a appris sa leçon. – **b.** Il a choisi d'étudier l'histoire **car** il s'y intéresse depuis toujours. – **c. Comme** il a eu son bac, il va s'inscrire à l'université. – **d.** Il a pris son vélo **par conséquent** il est arrivé plus vite à son cours. – **e.** Il aime beaucoup lire **du coup** il va étudier la littérature. – **f.** Il mange toujours au restau U **parce que** la nourriture y est très bonne. – **g.** Il est très doué en dessin **ce qui fait qu**'il est facilement entré aux Beaux-Arts. – **h.** Il n'y a pas de master qui m'intéresse à Paris, je vais **donc** partir étudier à Marseille.

page 94

Activité 3

Proposition de corrigé :

a. *Comme elle n'a pas regardé la météo, elle a été surprise par la pluie. / Il pleut donc elle ne va pas pouvoir terminer sa randonnée.* – **b.** *Elle est arrivée en retard à la gare à cause d'un embouteillage. / Elle a raté son train, ce qui fait qu'elle doit attendre le prochain.* – **c.** *Il est tombé car il n'a pas vu les jouets. / Il a glissé sur des jouets, alors il s'est fait mal.*– **d.** *Elle répond au téléphone car elle n'a pas conscience du danger. / Elle téléphone au volant, ce qui fait qu'elle pourrait provoquer un accident.* – **e.** *Comme il n'a pas révisé, il ne sait pas répondre à la question. / Il sèche sur sa copie, il aura donc une*

mauvaise note. – **f.** *Il n'entend pas le réveil car il s'est couché tard hier soir. / Il n'entend pas le réveil, du coup il va arriver en retard au travail.*

Vocabulaire Activité 1

a. appliquée – **b.** perfectionniste – **c.** concentré. – **d.** autonome – **e.** scolaire – adapter – **f.** consciencieux – **g.** rigoureuse

page 95

Activité 2

a. Djamila étudie l'astrophysique. – **b.** Rémi étudie les beaux-arts. – **c.** Lucienne étudie la médecine. – **d.** Manon étudie la géographie. – **e.** Hugo étudie les langues vivantes. – **f.** Michel étudie le droit.

Activité 3

a. 3. – b. 7. – c. 4. – d. 8. – e. 6. – f. 2. – g. 5. – h. 1.

Phonétique Voir transcription, p. 128.

page 96

Grammaire Activité 1

ayant – sachant – pouvant – appréciant – possédant – étant

Activité 2

a. La nuit tombant, le match a été reporté. – **b.** Étant très fatigué, je vais devoir prendre des vacances. – **c.** N'ayant pas de bonnes notes en français, j'ai suivi un cours de rattrapage. – **d.** Ne sachant pas quel cursus suivre, j'ai pris une année sabbatique. – **e.** N'ayant pas trouvé de stage dans ma ville, j'ai déménagé pour finir mes études. – **f.** Tout le monde votant pour, la décision est prise. – **g.** Ne pouvant pas être présent à la réunion, je vous enverrai mon rapport par courriel.

Activité 3

Proposition de corrigé :

a. *Ayant peu dormi* – **b.** *Étant sorties tard du bureau* – **c.** *Mon ordinateur étant cassé* – **d.** *N'ayant jamais obtenu de bonnes notes aux examens* – **e.** *Les invités n'étant pas arrivés* – **f.** *Personne n'ayant fait de recherche sur le thème d'aujourd'hui*

page 97

Activité 4

Étant – Ayant échoué – Ne disposant pas – proposant – Considérant – Ayant passé – Jugeant

Activité 5

laquelle – lequel – auxquels – lesquelles – lesquels – laquelle

Activité 6

a. Oui, c'est la méthode avec laquelle j'ai appris le russe. – **b.** Oui, c'est le cours en ligne auquel je me suis inscrit. – **c.** Oui, c'est l'accident à cause duquel je suis arrivé en retard. – **d.** Oui, c'est l'entreprise pour laquelle j'ai travaillé. – **e.** Oui, ce sont les livres auxquels j'ai pensé pour la bibliographie. – **f.** Oui, c'est la formation grâce à laquelle j'ai progressé. – **g.** Oui, ce sont les bureaux près desquels j'habite. **h.** Oui, c'est la lettre de Yves à laquelle j'ai répondu.

page 98

Activité 7

C'était l'occasion d'un séjour très agréable au cours duquel j'ai fait beaucoup de rencontres. J'ai rencontré d'autres étudiants chercheurs avec lesquels j'ai gardé contact. J'ai revu le professeur Dujardin pour lequel / pour qui j'avais écrit des articles de biologie cellulaire. Je travaille pour un laboratoire de recherche à côté duquel j'habite. Je voulais vraiment vous remercier pour vos conseils grâce auxquels j'ai pu soutenir ma thèse.

page 99

Vocabulaire Activité 1

F	J	S	S	D	C	O	M	P	E	P	W
D	M	M	E	M	O	R	I	S	E	R	H
K	U	L	C	A	D	M	A	H	L	E	I
M	O	A	U	O	P	V	P	A	R	C	E
L	U	S	L	F	I	O	P	G	O	I	F
A	V	Y	T	T	A	D	R	A	F	S	I
A	R	T	I	C	L	E	O	S	L	I	A
P	A	I	V	Q	N	D	F	K	E	O	B
O	G	D	E	U	R	E	O	L	I	N	I
U	E	I	R	L	S	J	N	R	S	T	L
V	Z	C	O	R	C	V	D	U	A	C	I
B	H	G	R	A	P	H	I	Q	U	E	T
E	A	T	C	H	S	O	R	L	E	S	E

Activité 2

a. 3. – b. 5. – c. 7. – d. 1. – e. 4. – f. 2. – g. 6.

Activité 3

des formations en ligne – des cours collectifs en ligne – des modules – un casque – des simulateurs – la réalité virtuelle

pages 100-101

pages 100-101

Compréhension écrite

1 Cet article s'adresse à tous ceux qui n'ont jamais étudié la musique ou qui ont étudié la musique dans leur jeunesse. – **2** Tous les musiciens parlent la langue des notes. – **3** apprendre à parler une autre langue – **4** rencontrer des personnes différentes – **5** on peut mieux maîtriser ses mouvements – **6** il vaut mieux débuter tôt l'apprentissage d'un instrument – **7** de retenir plus facilement des mots ou des sons entendus – de devenir plus intelligent – d'être plus détendu – **8** réoriente la manière de raisonner – **9** on développe son imagination

page 102

Détente
a. 2. – **b.** 4 – **c.** 1 – **d.** 5. – **e.** 3.

Unité 11 page 103

Grammaire Activité 1
a. les lui – **b.** le leur – **c.** nous le – **d.** le lui – **e.** me les – **f.** le leur – **g.** me le – **h.** la leur – **i.** la lui – **j.** la leur

Activité 2
a. Non, je ne le leur conseille pas. – **b.** Non, elles ne le lui ont pas présenté. – **c.** Non, ils ne se les sont pas arrachées. – **d.** Non, ils ne nous l'ont pas écrit (*aussi* : ils ne me l'ont pas écrit) – **e.** Non, je ne la leur ai pas proposée. – **f.** Non, je ne te l'ai pas envoyée. – **g.** Non, nous ne vous la présenterons pas (*aussi* : je ne vous la présenterai pas). – **h.** Non, elle ne me l'a pas fourni. – **i.** Non, nous ne les leur

page 106

Grammaire Activité 1

Sentiment exprimé	Cause du sentiment
a. Ce qui me fascine,	**a.** ce sont les musiques du monde et leurs mélodies envoûtantes.
b. c'est ce dont je suis le plus fan. **c.** Ce que je trouve absolument révoltant,	**b.** Faire du sport, **c.** c'est cette nouvelle mode de la paresse.
d. c'est ce que je trouve un peu bizarre. **e.** Ce qui est le plus incroyable,	**d.** Ce mélange des styles, **e.** c'est ce restaurant qui propose des massages à ses clients.
f. c'est ce qui me semble le plus fou ! **g.** qui me rend nerveuse.	**f.** Faire la sieste pendant un concert, **g.** C'est ce médecin
h. c'est ce à quoi nous devons nous préparer dans le futur.	**h.** Pouvoir faire son autodiagnostic,

avons pas expliquées (*aussi* : je ne les leur ai pas expliquées).

page 104
Activité 3
a. Oui, elle nous les a données (*aussi* : me les a données). – **b.** Oui, nous allons le leur expliquer (*aussi* : je vais le leur expliquer). – **c.** Non, tu ne me l'as pas montrée. – **d.** Oui, je la lui ai mentionnée. – **e.** Oui, il se l'est cassé pendant la rénovation. – **f.** Non, nous n'allons pas vous l'envoyer (*aussi* : je ne vais pas vous l'envoyer). – **g.** Oui, ils la leur ont présentée. **h.** Oui, je vais me la réserver.

Vocabulaire Activité 1
a. 5. – **b.** 3 – **c.** 1 – **d.** 2. – **e.** 4.

page 105
Activité 2
a. berceuse – **b.** fainéant – **c.** ludique – **d.** debout – **e.** sérénité – **f.** atelier – **g.** flâner

Activité 3
Avoir un poil dans la main : **b.** – Ne pas rechigner à la tâche : **d.** – Prendre du temps pour soi : **c.** – Rogner sur son temps : **a.**

Phonétique
A /E/ : paresseux – fainéant – un malaise – une berceuse – mauvaise – un essai – un traitement
/Œ/ : paresseux – à la hauteur – bosseur – laborieux – travailleur – une berceuse – un joggeur – une maladie contagieuse – un jeu
/O/ : à la hauteur – un saut – bosseur – laborieux – autonome – un joggeur – mauvaise
B « eu »

Activité 2
a. Ces applications, c'est ce qui me fait peur. – **b.** Ce que je trouve intéressant, c'est l'autonomie des patients. – **c.** Ce dont je me méfie, ce sont les produits connectés. – **d.** C'est lui qui posera le diagnostic. – **e.** C'est le docteur dont je t'ai parlé la dernière fois. – **f.** Ce qui est le plus révolutionnaire, ce sont ces nouvelles techniques. – **g.** C'est ce médecin spécialiste à qui j'ai demandé de me suivre. – **h.** Ce à quoi j'ai pensé, c'est une nouvelle application. – **i.** L'autodiagnostic, c'est ce dont tout le monde parle.

page 107
Activité 3
a. Ce que j'aime vraiment, c'est ce contexte novateur. – **b.** Les nouvelles applications de santé, c'est ce dont j'ai peur. – **c.** Ce à quoi il pense beaucoup, c'est cette nouvelle technologie. – **d.** Ce dont elles rêvent, c'est le lancement de leur propre application. – **e.** Ce que le public trouve trop rapide, ce sont ces évolutions. – **f.** C'est cette chaussure qui est l'avenir de la course à pied. – **g.** Ce sont eux qui ont créé ce site internet.

Activité 4
il aura écouté – ils se seront perdus – vous aurez eu – tu auras dormi – elle aura pris – il aura été – nous serons descendus – tu te seras promenée

Activité 5
• Futur antérieur : **b.** – **d.** – **e.** – **f.** – **h.** – **i.**
• Autre temps : **a.** – **c.** – **g.**

page 108
Activité 6
a. 7. – **b.** 1 – **c.** 5 – **d.** 2 – **e.** 6. – **f.** 4. – **g.** 3.

Activité 7
a. se sera faite – **b.** aura reçu – **c.** aurons obtenu – **d.** aura été soigné – **e.** serons rentrés

Activité 8
Proposition de corrigé :
a. *tu auras fini tes devoirs.* – **b.** *nous aurons reçu le formulaire.* – **c.** *vous aurez passé la visite médicale.* – **d.** *elle se sera prouvé qu'elle est capable de le faire.* – **e.** *j'aurai gagné au moins un tournoi régional !* – **f.** *la municipalité aura mis plus d'équipements gratuits à disposition du public.*

Page 109

Vocabulaire Activité 1

• Horizontal : **2** cardiologue –
5 diagnostic – **8** natation
• Vertical : **1** raquette – **3** ordonnance –
4 prototype – **6** anesthésiste –
7 contagieuse

Activité 2

a. la posture – **b.** compétitive – **c.** le
traitement – **d.** l'infirmier – **e.** le saut

Activité 3

blessure – soigner – salle d'attente –
symptômes – médicament – soulager –
traitement – guérir

page 110

Compréhension orale

1 aux effets bénéfiques de l'activité
physique sur notre cerveau – **2** Ça met
de bonne humeur. – **3** devient moins
importante – **4** Elles nous permettent de
planifier et exécuter les mouvements que
nous faisons en pratiquant un sport. –
5 un sentiment de bonheur – **6** Il grossit,
il prend du volume. – **7** l'attention, la
mémoire, le contrôle de l'impulsivité,
une meilleure capacité de planification –
8 la dépression – **9** Il n'y a pas d'effets
secondaires.

page 111

Production écrite

Proposition de corrigé :
Bonjour à tous,
J'aimerais partager avec vous ma propre
expérience de la pratique sportive.
Il y a environ 8 ans, j'ai commencé
à développer des douleurs dans le
dos. Je suis alors allée consulter mon
médecin car cette situation était trop
handicapante au quotidien.
Il m'a simplement dit que je devais
renforcer ma musculature et donc faire
du sport. Je n'en faisais absolument pas
à l'époque, ça me faisait presque peur
de commencer. Mais le médecin m'a dit
que je pourrais d'abord faire du yoga ou
de la natation.
J'ai donc décidé de m'inscrire à un
cours de yoga, une fois par semaine. Et
comme j'habitais à l'époque à quelques
rues d'une piscine, j'ai décidé d'y aller au
moins une fois par semaine aussi.
Grâce à cela, j'ai fait disparaître mes
douleurs. De plus, je me sens toujours
pleine d'énergie et c'est selon moi le
meilleur moyen d'évacuer le stress des
longues journées de travail. J'ai remarqué
que je dormais mieux également.

Bref, je ne peux que recommander à
tous la pratique d'un sport !

page 112

Préparation au DELF B1

Compréhension de l'oral

1 branché – **2** une borne d'assistance
vocale – **3** à un membre de la famille –
4 un réfrigérateur connecté, des
ampoules ou sa voiture – **5** les
Américains, les Asiatiques et la France
– **6** Elle diffuse sur une enceinte la
musique que vous aimez. – **7** Une autre
personne arrive, la mélodie change. À
plusieurs, la pyramide choisit sur Internet
parmi des milliers, un titre qui devrait
faire l'unanimité. / Il va comprendre petit
à petit que vous aimez du rap, mais
pas tel artiste. Que vous aimez du jazz
quand vous vous levez le matin mais
pas quand vous rentrez le soir après le
travail. / Toutes ces interactions que vous
faites avec l'objet qui vont lui apprendre
à mieux vous connaître – **8** Il vous suit
partout, obéit au son de votre voix et
projette où vous voulez les vidéos et
films trouvés sur Internet.

Unité 12 page 113

Grammaire Activité 1

a. pourtant – **b.** Malgré – **c.** alors que –
d. contrairement à – **e.** même si –
f. cependant – **g.** bien qu' – **h.** En dépit
de – **i.** par contre – **j.** tandis que

Activité 2

a. tandis que – **b.** Même si –
c. Contrairement à – **d.** Bien que –
e. mais – **f.** Malgré – **g.** pourtant –
h. à l'inverse de

page 114

Activité 3

Proposition de corrigé :
a. *Bien que le métro soit bondé une*
passagère réussit à lire. – **b.** *Le petit*
garçon lit sur une tablette tandis que
son grand-père lit le journal et son père
un livre. – **c.** *Même s'il est très tard,*
la petite fille lit en cachette sous sa
couette. – **d.** *Elle continue sa lecture,*
pourtant son livre risque de tomber à
l'eau. – **e.** *En dépit de son jeune âge, il*
apprécie la lecture.

Vocabulaire Activité 1

a. Adapter – **b.** rédiger – **c.** éditer –
d. bâtir une intrigue – **e.** écrire un

dialogue – **f.** publier – **g.** créer des
personnages

page 115

Activité 2

a. 8. – **b. 4** – **c. 5** – **d. 7** – **e. 6.** – **f. 1.** –
g. 2. – **h. 3**

Activité 3

un roman d'aventures : extrait 5 – un
roman policier : extrait 1 – un conte :
extrait 3 – une pièce de théâtre : extrait
4 – une biographie : extrait 2

Phonétique

• Le son [ɛ̃] : écrivain – intrigue –
comédien – pinceau – peintre
• Le son [ã] : talent – engagé –
romancier – sentimental – encyclopédie
• Le son [ɔ̃] : compositeur – description –
profond – fiction – conte

page 116

Grammaire Activité 1

a. 1re colonne du tableau : hier
soir – l'année dernière – **3e colonne**
du tableau : la semaine prochaine –
l'année prochaine

b. 1re colonne du tableau : la veille – le
mois précédent – l'année précédente –
3e colonne du tableau : deux jours
après / plus tard – le mois suivant –
l'année suivante

Activité 2

a. En ce moment – **b.** Cette année-là –
c. Hier – **d.** Dans – **e.** le mois prochain –
f. Autrefois – **g.** Le mois suivant – **h.** la
veille – **i.** Ce jour-là – **j.** vers

page 117

Activité 3

[...] elle est arrivée à Istanbul à 19 h.
La veille, elle avait visité l'exposition de
Maloé à la Galerie Maro et deux jours
avant, elle était allée à Orléans pour la
journée. Le lendemain de son arrivée
à Istanbul, elle a rencontré Mehmet,
un photographe professionnel, puis
elle a visité la ville avec lui et elle a pris
des photos. Le surlendemain, elle a
repris l'avion pour Paris et est passée à
l'agence pour sélectionner des photos.
Le week-end suivant, elle est allée au
concert de Daft Punk le samedi soir, et
à l'anniversaire de Louise le lendemain
midi. Elle lui a acheté des fleurs.

Activité 4

1. fut : a été – **2.** explora : a exploré –
3. naquit : est né – **4.** passa : a passé –
5. retourna : est retourné –

6. s'engagea : s'est engagé –
7. naviguea : a navigué – **8.** devint :
est devenu – **9.** se maria : s'est
marié – **10.** eut : a eu – **11.** fit : a fait –
12. conseilla : a conseillé – **13.** incita : a
incité – **14.** décida : a décidé –
15. séjourna : a séjourné – **16.** vécut :
a vécu – **17.** revint : est revenu –
18. s'installa : s'est installé –
19. mourut : est mort – **20.** exerça : a
exercé

page 118
Activité 5
Proposition de corrigé :
*Niki de Saint Phalle naquit le 29 octobre
1930 à Neuilly-sur-Seine. Elle partit dès
l'âge de trois ans aux États-Unis avec sa
famille. En 1942, elle entra à la Brearley
School, à New York, où elle développa
un intérêt pour les œuvres d'Edgar Allan
Poe, Shakespeare et les drames grecs.
Elle joua dans les pièces de théâtre de
l'école et écrivit ses premières poésies.
De 17 à 25 ans, Niki travailla comme
mannequin pour les magazines Vogue,
Life et Elle. À l'âge de 18 ans, en juin
1949, elle se maria avec le musicien*

*Harry Mathews à New York. Leur fille
Laura naquit en 1951. Elle commença
à peindre. L'année suivante, la famille
quitta les États-Unis et s'installa à Paris.
Niki de Saint Phalle voyagea souvent en
Allemagne, en Espagne, au Guatemala
et au Mexique. Dans les années
60-70, Elle réalisa les Nanas, poupées
de taille humaine en papier mâché.
Elle fréquenta le groupe des Nouveaux
Réalistes et rencontra Jean Tinguely,
qu'elle épousa en 1971. En 1983,
elle réalisa avec son mari la Fontaine
Stravinsky près du Centre national d'art
et de culture George-Pompidou. Elle
mourut le 21 mai 2002 à San Diego.*

page 119
Vocabulaire **Activité 1**
• La peinture : l'autoportrait –
le chevalet – la couleur – l'esquisse –
le modèle – le paysage – le pinceau –
le portrait – le tableau – la toile –
l'aquarelle
• La bande dessinée : l'album – la bulle –
la case – le pinceau – la planche – le
roman graphique

• La photographie : l'autoportrait –
la couleur – l'instantané – le modèle –
le paysage – le portrait

Activité 2
• Positifs : **a.** – **c.** – **d.** – **h.** – **j.**
• Négatifs : **b.** – **e.** – **f.** – **g.** – **i.**

pages 120-121
Compréhension écrite
1 met en place une campagne de
promotion – **2 a.** Ils doivent lire, assis dans
un fauteuil, dans la vitrine du magasin. –
b. lire 15 minutes dans la vitrine – **3** les
réseaux sociaux – **4** Faux : l'avantage
n'apparaîtra pas nettement pour un
lecteur français. – **5** Faux : c'est quelque
chose qu'on n'a jamais vu. – **6** Faux : la
baisse des ventes des livres que connaît
le Québec – **7** redonner une nouvelle
dynamique à son activité – **8** Faux : elle se
finira le 31 octobre prochain.

page 122
Détente
a. 6. – **b.** 7 – **c.** 1 – **d.** 2. – **e.** 4. –
f. 5 – **g.** 3

Maquette intérieure : Isabelle Aubourg
Déclinaison de la maquette intérieure et mise en page : Sabine Beauvallet
Edition : Pascale Spitz
Illustrations : Johanna Crainmark
Enregistrements, montage et mixage : Pierre Rochet - Eurodvd

éditions didier s'engagent pour
l'environnement en réduisant
l'empreinte carbone de leurs livres.
Celle de cet exemplaire est de :

350 g éq. CO$_2$
Rendez-vous sur
www.editionsdidier-durable.fr

PAPIER À BASE DE
FIBRES CERTIFIÉES

© Les Editions Didier, Paris 2018
ISBN : 978-2-278-09003-7
Dépôt légal : 9003/04

Achevé d'imprimer en Italie
par Grafica Veneta (Trebaseleghe) en juin 2019